recettes d'hiver

recettes d'hiver

MARABOUT

sommaire

Les
soupes

Gombo de crevettes

Pour 4 personnes

2 c. s. d'huile d'olive
1 gros oignon, finement haché
3 gousses d'ail, pilées
1 piment rouge, haché
4 tranches de bacon, hachées
1 c. s. de thym séché
2 c. c. d'origan séché
1 c. c. de paprika
1/2 c. c. de piment de Cayenne
60 ml de cognac
1 l de fumet de poisson
100 g de riz long grain
2 feuilles de laurier
400 g de tomates concassées
en conserve
150 g de gombos, émincés
850 g de crevettes moyennes crues,
décortiquées
3 c. s. de persil plat, finement haché

1 Faites chauffer l'huile dans une casserole et faites revenir l'oignon, l'ail, le piment et le bacon pendant 5 minutes. Ajoutez le thym, l'origan, le paprika et le piment de Cayenne. Versez le cognac et laissez mijoter jusqu'à évaporation, puis versez le bouillon et 500 ml d'eau. Portez à ébullition. Ajoutez le riz et les feuilles de laurier, réduisez le feu et laissez frémir 20 minutes à couvert.

2 Ajoutez les tomates et les gombos. Couvrez et laissez mijoter 20 à 25 minutes. Incorporez les crevettes et le persil et prolongez la cuisson pendant 5 minutes, jusqu'à ce que les crevettes soient cuites.

PRATIQUE Le gombo est une gousse verte tirée d'une plante originaire d'Afrique. Consommé comme légume, le gombo épaissit les sauces, surtout s'il est haché menu. Il est très utilisé aux Caraïbes et a donné son nom à un ragoût cajun et créole.

Velouté de potiron et de carotte

Pour 4 à 6 personnes

40 g de beurre
1 gros oignon, haché
2 gousses d'ail, pilées
500 g de carottes, émincées
125 ml de jus d'orange
750 g de potiron, épluché
et grossièrement haché
1,5 l de bouillon de volaille
sel et poivre du moulin
1 c. s. de ciboulette, ciselée

1 Faites fondre le beurre dans une casserole et laissez blondir l'oignon 5 minutes, jusqu'à ce qu'il soit tendre. Ajoutez l'ail et les carottes et faites cuire encore 5 minutes. Versez le jus d'orange et portez à ébullition. Incorporez le potiron, le bouillon et 500 ml d'eau. Portez à ébullition, puis réduisez le feu et laissez mijoter 30 minutes, jusqu'à ce que le potiron et la carotte soient tendres.

2 Mixez la soupe jusqu'à ce qu'elle soit lisse. Ajoutez un peu de bouillon si vous la préférez plus liquide.

3 Transvasez la préparation dans une casserole et faites réchauffez à feu moyen. Salez et poivrez à votre convenance. Versez la soupe dans des bols de service et parsemez de ciboulette.

Soupe italienne aux saucisses

Pour 4 personnes

500 g de chipolatas
200 g de speck
1 c. s. d'huile d'olive
1 gros oignon, haché
3 gousses d'ail, pilées
1 branche de céleri, émincée
1 grosse carotte,
coupée en dés de 1 cm
1 bouquet garni
1 petit piment rouge, coupé en deux
dans le sens de la longueur
400 g de tomates concassées
en conserve
1,75 l de bouillon de volaille
300 g de choux de Bruxelles,
coupés en deux
300 g de haricots verts,
coupés en tronçons de 3 cm
300 g de fèves, épluchées
2 c. s. de persil plat, haché
sel et poivre du moulin

1 Faites griller les saucisses 8 à 10 minutes, en les retournant de temps à autre, jusqu'à ce qu'elles soient dorées. Coupez-les en rondelles de 3 cm. Dégraissez le speck, puis coupez-le en dés.

2 Faites chauffer l'huile dans une casserole, puis faites cuire le speck 2 à 3 minutes. Ajoutez l'oignon, l'ail, le céleri et la carotte. Réduisez le feu et laissez mijoter 6 à 8 minutes, jusqu'à ce que les légumes soient tendres. Retirez l'excédent de graisse à la cuillère.

3 Ajoutez les saucisses, le bouquet garni, le piment et les tomates. Faites cuire 5 minutes. Versez le bouillon, portez à ébullition, puis réduisez le feu et laissez frémir pendant 1 heure. Incorporez les choux de Bruxelles, les haricots verts et les fèves et laissez mijoter 30 minutes. Retirez le bouquet garni et parsemez de persil. Salez et poivrez à votre convenance. Versez la soupe dans quatre bols et servez aussitôt.

PRATIQUE Le speck est un jambon cuit fumé. Très utilisée dans la cuisine italienne, cette spécialité est meilleur marché que le jambon de Parme.

Soupe de poireaux-pommes de terre

Pour 6 personnes

50 g de beurre
1 oignon, finement haché
3 blancs de poireaux, émincés
1 branche de céleri, finement hachée
1 gousse d'ail, finement hachée
200 g de pommes de terre, râpées
750 ml de bouillon de volaille
220 ml de crème fraîche
2 c. s. de ciboulette, ciselée
sel et poivre blanc du moulin

1 Faites fondre le beurre dans une casserole et ajoutez l'oignon, les blancs de poireaux, le céleri et l'ail. Couvrez la casserole et laissez cuire 15 minutes à feu doux, en remuant de temps en temps, jusqu'à ce que les légumes soient tendres. Ajoutez les pommes de terre et le bouillon, puis portez à ébullition.

2 Réduisez le feu, couvrez et laissez mijoter 20 minutes. Retirez la soupe du feu, laissez-la reposer quelques minutes, puis mixez-la.

3 Réchauffez la soupe jusqu'au point d'ébullition, puis ajoutez la crème fraîche. Salez et poivrez. Servez la soupe bien chaude, parsemée de ciboulette.

ASTUCE Cette soupe est délicieuse froide. On peut donc la préparer quelques heures à l'avance.

Soupe au pain et à la tomate

Pour 4 personnes

750 g de tomates bien mûres
450 g de ciabatta ou de pain
de campagne, rassis
1 c. s. d'huile d'olive
3 gousses d'ail, pilées
1 c. s. de concentré de tomates
1,25 l de bouillon de volaille, chaud
4 c. s. de feuilles de basilic, ciselées
2 à 3 c. s. d'huile d'olive vierge extra

1 Incisez la base des tomates en croix. Plongez-les dans un saladier d'eau bouillante pendant 1 minute, puis dans de l'eau froide, et pelez-les en partant de l'incision. Coupez les tomates en deux et épépinez-les à la petite cuillère. Hachez la chair.

2 Retirez la croûte du pain et jetez-la. Coupez la mie en cubes de 3 cm.

3 Faites chauffer l'huile dans une casserole. Ajoutez l'ail, les tomates et le concentré de tomates. Réduisez le feu et laissez mijoter 15 minutes en remuant de temps en temps, jusqu'à ce que la préparation épaississe. Versez le bouillon et faites bouillir 2 minutes en remuant. Baissez le feu au minimum, ajoutez le pain et continuez la cuisson pendant 5 minutes, en remuant toujours, jusqu'à ce que le pain ait absorbé presque tout le liquide. Ajoutez du bouillon ou de l'eau si nécessaire.

4 Incorporez le basilic et l'huile et laissez reposer 5 minutes, le temps que leur saveur se développe. Arrosez d'un filet d'huile d'olive.

PRATIQUE Cette soupe est très populaire en Italie où on la déguste surtout en été, quand les tomates sont les plus savoureuses.

Velouté d'asperges

Pour 4 personnes

725 g d'asperges vertes fraîches,
épluchées
1 c. s. d'huile végétale
30 g de beurre
1 gros oignon rouge, finement haché
1 gros poireau, émincé
2 grosses pommes de terre,
coupées en dés de 1 cm
1,25 l de bouillon de volaille
80 ml de crème fraîche
90 g de crème aigre
1 c. s. de ciboulette, ciselée
60 g de parmesan frais, râpé

1 Hachez grossièrement 600 g d'asperges et coupez le reste en tronçons de 6 cm. Faites chauffer l'huile et le beurre dans une casserole et faites fondre l'oignon et le poireau 5 minutes. Ajoutez les pommes de terre, les asperges hachées et le bouillon de volaille. Portez à ébullition, puis baissez le feu et laissez frémir 8 minutes, jusqu'à ce que les légumes soient tendres. Faites blanchir les tronçons d'asperges dans une casserole d'eau bouillante.

2 Laissez refroidir la soupe et mixez-la. Incorporez la crème fraîche et laissez mijoter 1 à 2 minutes, jusqu'à ce que la préparation soit bien chaude. Salez et poivrez. Ajoutez au dernier moment la crème aigre, les asperges blanchies et la ciboulette.

3 Pour les chips de parmesan, préchauffez le four à 190 °C (Th. 5). Tapissez trois plaques de papier sulfurisé et disposez 4 cercles à œufs de 9 cm de diamètre sur chaque plaque. Répartissez 5 g de parmesan râpé au centre de chaque couronne, en couche fine. Enfournez 5 minutes, jusqu'à ce que le parmesan soit fondu et juste doré. Laissez refroidir et servez avec la soupe.

Laksa au poulet

Pour 4 personnes

Boulettes de poulet
500 g de poulet haché
1 petit piment rouge, finement haché
2 gousses d'ail, pilées
1/2 petit oignon rouge, finement haché
le blanc d'1 tige de citronnelle,
finement haché
2 c. s. de feuilles de coriandre, hachées

200 g de vermicelles de riz
1 c. s. d'huile d'arachide
75 g de pâte laksa
1 l de bouillon de volaille
500 ml de lait de coco
8 tranches de tofu, coupées en deux
90 g de germes de soja
2 c. s. de feuilles de menthe
vietnamienne (laksa), ciselée
3 c. s. de feuilles de coriandre, ciselées
quartiers de citron
nuoc-mâm

1 Pour confectionner les boulettes de poulet, passez tous les ingrédients au robot, jusqu'à obtention d'une pâte homogène. Mouillez-vous les mains et roulez des boulettes de la valeur d'une cuillerée à soupe.

2 Mettez les cheveux d'ange dans un saladier résistant à la chaleur, recouvrez-les d'eau bouillante et laissez reposer 6 à 7 minutes. Égouttez.

3 Faites chauffer l'huile dans une casserole. Ajoutez la pâte laksa et réchauffez-la 1 à 2 minutes. Versez le bouillon, réduisez le feu et laissez frémir 10 minutes. Incorporez le lait de coco et les boulettes de poulet, faites mijoter 5 minutes, jusqu'à ce que les boulettes soient cuites.

4 Répartissez les cheveux d'ange, le tofu, les germes de soja et les boulettes dans les bols de service et arrosez de soupe. Décorez avec les feuilles de menthe et de coriandre. Servez la soupe accompagnée de quartiers de citron et de nuoc-mâm.

À SAVOIR Le mot laksa désigne à la fois la menthe vietnamienne, dont la saveur rappelle celle de la coriandre, et une soupe malaise épicée, aux nouilles et au lait de coco. La pâte laksa est une préparation à base d'herbes et d'épices.

Soupe aux raviolis et aux épinards

Pour 4 personnes

Bouillon
1,5 kg d'os de poulet
(cous, bréchets, ailes)
2 gros poireaux, hachés
2 grosses carottes, hachées
2 grosses branches de céleri, hachées
6 brins de thym
4 brins de persil plat
10 grains de poivre noir

350 g de raviolis farcis à la viande
2 zestes de citron de 6 cm de long
150 g de jeunes feuilles d'épinards
sel et poivre du moulin
1/2 c. c. d'huile d'olive
1 à 3 c. s. de jus de citron
35 g de copeaux de parmesan

1 Mettez les os de poulet dans un grand faitout avec 3 l d'eau. Faites frémir pendant 30 minutes, en écumant régulièrement. Ajoutez les poireaux, les carottes, les branches de céleri, le thym, le persil et le poivre et laissez mijoter 3 heures, en couvrant à moitié. Passez au tamis fin et laissez refroidir. Couvrez et conservez toute une nuit au réfrigérateur. Retirez la graisse figée en surface.

2 Versez le bouillon dans une casserole et portez à ébullition. Ajoutez les raviolis et les zestes de citron, et faites cuire 3 à 5 minutes, jusqu'à ce que les raviolis remontent à la surface. Incorporez les feuilles d'épinards, salez et poivrez. Retirez les zestes de citron et arrosez d'huile et de jus de citron. Décorez de copeaux de parmesan.

Soupe de lentilles au yaourt

Pour 6 personnes

2 c. s. d'huile d'olive
1 petit blanc de poireau, émincé
2 gousses d'ail, pilées
2 c. c. de curry en poudre
1 c. c. de cumin en poudre
1 c. c. de garam masala
1 l de bouillon de légumes
1 feuille de laurier frais
185 g de lentilles brunes
450 g de potiron, épluché
et coupé en dés de 1 cm
sel et poivre du moulin
400 g de tomates concassées
en conserve
2 courgettes, coupées en deux
dans la longueur et émincées
200 g de brocolis, détaillés en bouquets
1 petite carotte, coupée en dés
80 g de petits pois
1 c. s. de menthe hachée

Yaourt aux épices
250 g de yaourt nature épais
1 c. s. de feuilles de coriandre, hachées
1 gousse d'ail, pilée
3 gouttes de sauce Tabasco

1 Faites chauffer l'huile dans une casserole et faites blondir le poireau et l'ail 4 à 5 minutes, jusqu'à ce qu'ils soient tendres. Incorporez le curry, le cumin et le garam masala et laissez cuire 1 minute, jusqu'à ce que le mélange embaume.

2 Ajoutez le bouillon, le laurier, les lentilles et le potiron. Portez à ébullition, puis réduisez le feu et laissez frémir 10 à 15 minutes, jusqu'à ce que les lentilles soient tendres. Salez et poivrez.

3 Incorporez les tomates, les courgettes, les brocolis, la carotte et 500 ml d'eau. Laissez mijoter 10 minutes. Ajoutez les petits pois et poursuivez la cuisson 2 à 3 minutes.

4 Mélangez le yaourt, la coriandre, l'ail et le Tabasco. Versez la soupe dans les bols de service, garnissez de yaourt épicé et décorez de menthe hachée.

PRATIQUE Le garam masala est un mélange d'épices originaires du nord de l'Inde. Il comporte en quantités variables de la cardamome, de la cannelle, des clous de girofle, de la coriandre, du fenouil et du cumin, grillés et moulus ensemble.

Riz gluant au porc

Pour 4 à 6 personnes

300 g de riz long grain
1/2 étoile de badiane
2 bulbes d'oignons de printemps
1 morceau de gingembre de 4 cm,
en lamelles
3,5 l de bouillon de volaille
1 c. s. d'huile d'arachide
2 gousses d'ail, pilées
1 c. c. de gingembre râpé
400 g de porc haché
poivre blanc du moulin
60 ml de sauce de soja claire
huile de sésame
6 beignets de poulet ou de porc

1 Mettez le riz dans une grande casserole avec la badiane, les oignons de printemps, les lamelles de gingembre et le bouillon de volaille. Portez à ébullition, puis réduisez le feu et laissez mijoter 1 h 30.

2 Faites chauffer l'huile dans une poêle et faites cuire l'ail et le gingembre râpé pendant 30 secondes. Ajoutez le porc haché et faites revenir 5 minutes, jusqu'à ce qu'il se colore, en séparant la viande avec le dos d'une cuillère.

3 Retirez la badiane, les oignons et le gingembre de la casserole de riz et jetez-les. Incorporez la viande et laissez frémir 10 minutes. Assaisonnez avec du poivre blanc et versez la sauce de soja. Versez un filet d'huile de sésame. Servez aussitôt avec les beignets de poulet ou de porc.

PRATIQUE Les beignets de viande sont vendus dans les épiceries chinoises et doivent être consommés le jour même. Réchauffez-les au four à 200 °C (Th. 6).

Soupe de courgettes

Pour 4 personnes

60 g de beurre
2 gros blancs de poireaux, émincés
4 gousses d'ail, pilées
1,25 kg de courgettes,
grossièrement râpées
1,75 l de bouillon de volaille
80 ml de crème fraîche
sel et poivre noir du moulin
pain au lard

I Faites fondre le beurre dans une casserole et faites revenir le poireau 2 à 3 minutes, jusqu'à ce qu'il devienne tendre. Réduisez le feu, ajoutez l'ail et laissez cuire 10 minutes à couvert, en remuant de temps en temps.

2 Incorporez les courgettes et faites cuire 4 à 5 minutes. Versez le bouillon de volaille et portez à ébullition. Réduisez le feu et laissez mijoter 20 minutes.

3 Laissez tiédir la préparation, puis passez-la au mixeur. Incorporez la crème et réchauffez la soupe à feu doux. Salez et poivrez à votre goût. Servez la soupe accompagnée de pain au lard ou de pain de campagne.

Soupe de patates douces

Pour 4 à 6 personnes

40 g de beurre
2 oignons, hachés
2 gousses d'ail, pilées
1 kg de patates douces à chair orangée,
épluchées et hachées
1 grosse branche de céleri, hachée
1 grosse pomme verte, épluchée
et hachée
1 c. s. de cumin en poudre
2 l de bouillon de volaille
sel et poivre noir du moulin
125 g de yaourt brassé

1 Faites fondre le beurre dans une casserole et faites revenir l'oignon 10 minutes, jusqu'à ce qu'il soit tendre. Incorporez l'ail, les patates douces, le céleri, la pomme et 1 cuillerée à café de cumin. Laissez cuire 5 à 7 minutes en remuant régulièrement. Versez le bouillon de volaille, ajoutez le reste de cumin et portez à ébullition. Réduisez le feu et laissez frémir 25 à 30 minutes, jusqu'à ce que la patate douce soit tendre.

2 Laissez tiédir et passez la préparation au mixeur. Réchauffez-la à feu moyen. Salez et poivrez. Répartissez la soupe dans les bols de service et garnissez-la de yaourt.

Soupe au poulet et aux champignons

Pour 4 personnes

10 g de cèpes déshydratés
25 g de beurre
1 blanc de poireau, émincé
250 g de bacon, haché
200 g de champignons de Paris, grossièrement hachés
300 g de pleurotes, grossièrement hachées
2 c. s. de farine
125 ml de madère
1,25 l de bouillon de volaille
1 c. s. d'huile d'olive
2 blancs de poulet
80 g de crème aigre
2 c. c. de marjolaine, hachée

1 Faites tremper les cèpes déshydratés pendant 20 minutes dans 250 ml d'eau bouillante.

2 Faites fondre le beurre dans une casserole et faites cuire le poireau et le bacon pendant 5 minutes. Ajoutez tous les champignons et l'eau de trempage des cèpes. Poursuivez la cuisson pendant 10 minutes.

3 Délayez la farine dans un peu de jus de cuisson des champignons, puis versez la préparation dans la casserole et faites cuire 1 minute. Ajoutez le madère et prolongez la cuisson pendant 10 minutes. Ajoutez le bouillon, portez à ébullition, puis réduisez le feu et laissez frémir 45 minutes. Laissez refroidir.

4 Faites chauffer l'huile dans une poêle et faites revenir les blancs de poulet 4 à 5 minutes de chaque côté. Retirez-les de la poêle et coupez-les en fines lamelles.

5 Passez la soupe au mixeur jusqu'à ce qu'elle soit lisse. Incorporez la crème aigre et la marjolaine et réchauffez la soupe 1 à 2 minutes, à feu moyen. Salez et poivrez. Versez la soupe dans les bols de service et ajoutez les lamelles de poulet sans mélanger.

Soupe chinoise aux raviolis de porc

Pour 6 personnes

300 g de porc, haché
4 oignons de printemps, émincés
3 gousses d'ail, pilées
2 c. c. de gingembre, râpé
2 c. c. de Maïzena
125 ml de sauce de soja claire
3 c. s. de vin de riz chinois
30 feuilles de pâte à wontons
3 l de bouillon de volaille
200 g de nouilles sèches aux œufs
2 tiges d'oignons de printemps, ciselées
1 c. c. d'huile de sésame

1 Mixez le porc, les oignons, l'ail, le gingembre, la Maïzena, 2 cuillerées à soupe de sauce de soja et 1 cuillerée à soupe de vin de riz jusqu'à obtention d'un mélange homogène. Déposez 2 cuillerées à café de cette préparation au centre d'une feuille de pâte à wontons. Humidifiez les bords et fermez les raviolis en pressant fermement. Répétez l'opération avec le reste de farce et les autres feuilles de pâte.

2 Versez le bouillon de volaille dans une casserole et amenez-le à frémissement. Ajoutez le reste de sauce de soja et de vin de riz.

3 Pendant ce temps, portez à ébullition un grand volume d'eau. Réduisez le feu, plongez les raviolis dans l'eau et laissez-les 1 minute, jusqu'à ce qu'ils remontent à la surface. Retirez-les avec une écumoire. Portez de nouveau l'eau à ébullition, ajoutez les nouilles et laissez cuire 3 minutes. Égouttez-les et ajoutez-les avec les raviolis dans le bouillon de volaille.

4 Répartissez la soupe dans les bols de service. Décorez de tiges d'oignons de printemps ciselées et arrosez d'un filet d'huile de sésame.

PRATIQUE Les feuilles à wontons sont des feuilles de pâte très fines, vendues fraîches ou surgelées dans les épiceries asiatiques. Elles servent à confectionner les raviolis chinois.

Soupe de pois chiches

Pour 4 à 6 personnes

1 c. s. d'huile d'olive
1 gros oignon, haché
5 gousses d'ail, pilées
1 grosse carotte, hachée
1 feuille de laurier
2 branches de céleri, hachées
1 c. c. de cumin en poudre
1/2 c. c. de cannelle en poudre
1,25 l de bouillon de volaille
3 boîtes de 425 g de pois chiches, égouttés et rincés
1 c. s. de persil plat, finement haché
1 c. s. de feuilles de coriandre, finement hachées
2 c. s. de jus de citron
huile d'olive vierge extra

Pain pita aux épices
40 g de beurre
2 c. s. d'huile d'olive
2 gousses d'ail, pilées
1 pincée de cumin en poudre
1 pincée de cannelle en poudre
1 pincée de piment de Cayenne
1/2 c. c. de fleur de sel
4 petits pains pita, coupés en deux

1 Faites chauffer l'huile dans une casserole et faites fondre l'oignon 3 à 4 minutes. Ajoutez l'ail, la carotte, le laurier et le céleri. Laissez cuire encore 4 minutes, jusqu'à ce que les légumes commencent à se colorer.

2 Incorporez le cumin et la cannelle et laissez cuire 1 minute. Ajoutez le bouillon, 1 litre d'eau et les pois chiches. Portez à ébullition, puis réduisez le feu et laissez frémir 1 heure. Mettez à refroidir.

3 Retirez la feuille de laurier et passez la soupe au mixeur. Réchauffez-la à feu moyen en remuant régulièrement. Incorporez le persil, la coriandre et le jus de citron. Salez et poivrez. Arrosez d'un filet d'huile d'olive.

4 Pour le pain pita aux épices, faites fondre le beurre avec l'huile dans une casserole. Ajoutez l'ail, le cumin, la cannelle, le piment et la fleur de sel et laissez cuire 1 minute. Placez les pains pita sur une plaque tapissée de papier sulfurisé et passez-les sous le gril 1 à 2 minutes. Quand ils sont bien dorés, retournez-les et badigeonnez-les de beurre épicé. Faites-les dorer sous le gril et servez-les avec la soupe.

PRATIQUE Le pain pita est un pain libanais plat, que l'on peut ouvrir et garnir à sa convenance.

Velouté de maïs au poulet

Pour 4 à 6 personnes

20 g de beurre
1 c. s. d'huile d'olive
500 g de chair de cuisse de poulet, émincée
2 gousses d'ail, pilées
1 poireau, haché
1 grosse branche de céleri, hachée
1 feuille de laurier
1/2 c. c. de thym
1 l de bouillon de volaille
60 ml de cognac
550 g de grains de maïs
1 grosse pomme de terre à chair farineuse, coupée en dés de 1 cm
185 ml de crème fraîche
sel et poivre du moulin
crème fraîche
ciboulette

1 Faites fondre le beurre avec l'huile dans une casserole et faites cuire le poulet en plusieurs fois, pendant 3 minutes, jusqu'à ce qu'il soit doré. Mettez-le dans un récipient, couvrez-le et réservez au frais.

2 Baissez le feu sous la casserole et ajoutez l'ail, le poireau, le céleri, le laurier et le thym. Laissez cuire 2 minutes. Versez le bouillon, le cognac et 500 ml d'eau. Grattez le fond de la casserole pour dissoudre les sucs de cuisson, puis ajoutez les grains de maïs et la pomme de terre et portez à ébullition. Réduisez le feu et laissez frémir pendant 1 heure, en écumant régulièrement. Laissez tiédir.

3 Retirez la feuille de laurier et passez la soupe au mixeur. Incorporez la crème fraîche et le poulet, puis réchauffez la soupe sans la laisser bouillir. Arrosez d'un peu de crème et décorez de ciboulette ciselée.

Soupe chinoise au canard, aux champignons et aux nouilles

Pour 4 à 6 personnes

3 champignons shiitake déshydratés
1 canard laqué (1,5 kg)
500 ml de bouillon de volaille
2 c. s. de sauce de soja claire
1 c. s. de vin de riz chinois
2 c. c. de sucre
400 g de nouilles de riz fraîches
2 c. s. d'huile
3 oignons de printemps, émincés
1 c. c. de gingembre, finement haché
400 g de chou chinois, nettoyé
et détaillé en feuilles
1/4 c. c. d'huile de sésame

1 Mettez les champignons shiitake dans un récipient résistant à la chaleur, couvrez-les de 250 ml d'eau bouillante et laissez tremper 20 minutes. Égouttez-les en pressant bien pour éliminer l'eau. Réservez l'eau de trempage. Jetez les tiges fibreuses et émincez les chapeaux.

2 Désossez le canard et émincez la chair et la peau. Jetez les os.

3 Versez le bouillon, la sauce de soja, le vin de riz, le sucre et l'eau de trempage des champignons dans une casserole. Faites frémir pendant 5 minutes. Pendant ce temps, mettez les nouilles dans un saladier résistant à la chaleur, couvrez-les d'eau bouillante et laissez-les tremper quelques minutes. Séparez délicatement les nouilles à la fourchette et égouttez-les soigneusement. Répartissez-les dans les bols de service.

4 Faites chauffer l'huile dans un wok et faites revenir les oignons de printemps, le gingembre et les champignons, jusqu'à ce qu'ils soient dorés. Mettez-les dans la casserole avec le chou et le canard et laissez mijoter 1 minute. Versez la soupe sur les nouilles et arrosez d'un filet d'huile de sésame. Servez aussitôt.

PRATIQUE Originaires de Chine et du Japon, les champignons shiitake ont un goût très relevé. On les trouve souvent séchés dans les épiceries asiatiques.

Soupe grecque au poulet

Pour 4 personnes

1 carotte, hachée
1 gros poireau, haché
2 feuilles de laurier
2 blancs de poulet
2 l de bouillon de volaille
75 g de riz à grain rond
3 œufs, blanc et jaune séparés
80 ml de jus de citron
2 c. s. de persil, haché
40 g de beurre, en copeaux

1 Mettez la carotte, le poireau, le laurier, les blancs de poulet et le bouillon dans une casserole. Portez à ébullition, puis réduisez le feu et laissez frémir 10 à 15 minutes. Passez le jus de cuisson dans une casserole propre et réservez le poulet.

2 Versez le riz dans la casserole, portez à ébullition, puis réduisez le feu et laissez frémir 15 minutes. Coupez le poulet en dés de 1 cm.

3 Battez les blancs d'œufs en neige ferme. Sans cesser de battre, incorporez les jaunes jusqu'à obtention d'une mousse légère. Ajoutez le jus de citron, puis 250 ml de soupe. Retirez la soupe du feu et versez-la délicatement sur les œufs en remuant sans cesse. Remettez le tout dans la casserole, ajoutez le poulet et réchauffez la soupe sans la laisser bouillir. Décorez de persil et de copeaux de beurre et servez aussitôt.

PRATIQUE Cette soupe se prépare au dernier moment.

Soupe aux spaghettis et aux boulettes de bœuf

Pour 4 personnes

150 g de spaghettis, en tronçons de 8 cm
1,5 l de bouillon de volaille
3 c. c. de concentré de tomates
400 g de tomates concassées
en conserve
3 c. s. de feuilles de basilic, ciselées
copeaux de parmesan

Boulettes de viande

1 c. s. d'huile
1 oignon, finement haché
2 gousses d'ail, pilées
500 g de bœuf maigre, haché
3 c. s. de persil plat, finement haché
3 c. s. de chapelure
2 c. s. de parmesan frais, finement râpé
1 œuf, légèrement battu
sel et poivre du moulin

1 Faites cuire les spaghettis dans un grand volume d'eau bouillante salée jusqu'à ce qu'ils soient *al dente*. Égouttez-les. Versez le bouillon et 500 ml d'eau dans une casserole et portez à frémissement.

2 Pendant ce temps, préparez les boulettes de viande. Faites chauffer l'huile dans une poêle et faites fondre l'oignon 2 à 3 minutes. Ajoutez l'ail et faites-le cuire 30 secondes. Laissez refroidir. Incorporez la viande hachée, le persil, la chapelure, le parmesan et l'œuf. Salez et poivrez, puis mélangez bien. Façonnez 40 boulettes.

4 Versez le concentré de tomates et les tomates dans le bouillon et laissez frémir 2 à 3 minutes. Plongez les boulettes dedans, revenez au point de frémissement et laissez mijoter 10 minutes, jusqu'à ce que les boulettes soient cuites. Ajoutez les spaghettis et le basilic. Réchauffez la soupe sans la laisser bouillir. Parsemez de copeaux de parmesan au moment de servir.

Soupe paysanne

Pour 4 personnes

100 g de haricots blancs secs
125 g de bacon, émincé
40 g de beurre
1 carotte, émincée
1 oignon, haché
1 blanc de poireau, haché
1 navet, épluché et haché
bouquet garni
1,25 l de bouillon de volaille
400 g de chou blanc, émincé
sel et poivre du moulin

1 Faites tremper les haricots toute une nuit dans de l'eau froide. Égouttez-les, mettez-les dans une casserole et couvrez-les d'eau froide. Portez à ébullition et laissez frémir 5 minutes, puis égouttez. Procédez de même avec le bacon, puis égouttez-le et séchez-le avec du papier absorbant.

2 Faites fondre le beurre dans une casserole à fond épais et faites revenir le bacon pendant 5 minutes. Incorporez les haricots, la carotte, l'oignon, le poireau et le navet. Poursuivez la cuisson 5 minutes. Versez le bouillon, ajoutez le bouquet garni et portez à ébullition. Couvrez et laissez frémir 30 minutes. Ajoutez le chou et laissez frémir 30 minutes sans couvrir, jusqu'à ce que les haricots soient cuits. Retirez le bouquet garni, salez et poivrez, puis servez aussitôt.

Soupe de poisson au maïs

Pour 4 personnes

2 épis de maïs frais
1 c. s. d'huile d'olive
1 oignon rouge, finement haché
1 petit piment rouge, finement haché
1/2 c. c. de piment de la Jamaïque
en poudre
1,5 l de bouillon de volaille léger
4 tomates, pelées et concassées
300 g de filets de poisson blanc,
coupés en cubes
200 g de chair de crabe fraîche
200 g de crevettes crues, décortiquées
et grossièrement hachées
1 c. s. de jus de citron vert

Quesadillas
4 tortillas
85 g de cheddar râpé
4 c. s. de feuilles de coriandre
2 c. s. d'huile d'olive
sel et poivre du moulin

1 Faites chauffer le four à 200 °C (Th. 6). Rabattez la gaine des épis, en prenant soin qu'elle reste intacte à la base, et retirez les soies. Repliez la gaine sur les épis, placez ceux-ci dans un plat et faites-les cuire 1 heure au four.

2 Faites chauffer l'huile dans une casserole et faites revenir l'oignon. Incorporez le piment rouge et le piment de la Jamaïque et laissez cuire 1 minute, puis versez le bouillon. Ajoutez les tomates et portez à ébullition. Réduisez le feu, couvrez et laissez frémir 45 minutes.

3 Détachez les grains de maïs avec un couteau pointu, ajoutez-les dans la soupe et laissez frémir 15 minutes sans couvrir. Ajoutez le poisson, le crabe et les crevettes et poursuivez la cuisson pendant 5 minutes.

4 Garnissez 2 tortillas de fromage et de coriandre. Salez et poivrez. Recouvrez le tout avec les autres tortillas. Faites chauffer l'huile dans une poêle et faites revenir les tortillas 30 secondes de chaque côté, jusqu'à ce que le fromage soit fondu. Coupez-les en quartiers. Arrosez la soupe de jus de citron vert et servez-la avec les quartiers de quesadillas.

Soupe vietnamienne au bœuf

Pour 4 personnes

400 g de rumsteck
3 oignons de printemps, émincés
2 c. s. de nuoc-mâm
1 étoile de badiane
1 bâton de cannelle
poivre blanc du moulin
1,5 l de bouillon de bœuf
300 g de nouilles de riz fraîches
1 tige d'oignon de printemps, ciselée
15 g de feuilles de menthe
vietnamienne ou de coriandre
90 g de germes de soja
1 petit piment rouge, émincé en biseau
quartiers de citron

1 Enveloppez le rumsteck de film alimentaire et congelez-le pendant 40 minutes.

2 Pendant ce temps, mettez les oignons, le nuoc-mâm, la badiane, la cannelle, le poivre, le bouillon et 500 ml d'eau dans une casserole. Portez à ébullition, puis réduisez le feu, couvrez et laissez frémir 20 minutes. Filtrez le bouillon.

3 Couvrez les nouilles d'eau bouillante et séparez-les délicatement à la fourchette. Égouttez-les et passez-les sous l'eau froide.

4 Sortez la viande du congélateur et coupez-la en fines lamelles. Répartissez les nouilles et la tige d'oignon de printemps dans les bols de service. Ajoutez le bœuf, la menthe, les germes de soja et le piment. Versez le bouillon chaud et servez avec des quartiers de citron.

Minestrone

Pour 6 personnes

200 g de haricots secs
50 g de beurre
1 gros oignon, finement haché
1 gousse d'ail, finement hachée
15 g de persil, finement haché
2 feuilles de sauge
100 g de bacon, émincé
2 branches de céleri, émincées
2 carottes, émincées
3 pommes de terre
1 c. c. de concentré de tomates
400 g de tomates concassées
8 feuilles de basilic
sel et poivre du moulin
3 l de bouillon de volaille
ou de légumes
2 courgettes, émincées
210 g de petits pois surgelés
115 g de haricots verts,
coupés en tronçons de 4 cm
1/4 de chou blanc, émincé
150 de ditalini ou de petits macaronis
parmesan frais, râpé

Pesto

2 gousses d'ail, pilées
50 g de pignons de pin
80 g de feuilles de basilic
4 c. s. de parmesan frais, râpé
150 ml d'huile d'olive vierge extra
sel et poivre du moulin

1 Faites tremper les haricots secs toute une nuit dans de l'eau froide. Égouttez-les et rincez-les.

2 Faites fondre le beurre dans un faitout et faites revenir l'oignon, l'ail, le persil, la sauge et le bacon. Laissez cuire 10 minutes à feu doux en remuant régulièrement.

3 Ajoutez les branches de céleri, les carottes et les pommes de terre et poursuivez la cuisson pendant 5 minutes. Incorporez le concentré de tomates, les tomates concassées, le basilic et les haricots secs. Salez et poivrez. Versez le bouillon et portez à ébullition. Couvrez et laissez frémir 2 heures.

4 Écrasez grossièrement les pommes de terre à la fourchette. Rectifiez l'assaisonnement. Ajoutez la courgette, les petits pois, les haricots verts, le chou et les pâtes. Laissez frémir jusqu'à ce que les pâtes soient *al dente*.

5 Pendant ce temps, mixez l'ail, les pignons de pin, le basilic et le parmesan jusqu'à obtention d'une pâte lisse. Incorporez l'huile en filet régulier, sans cesser de mixer. Assaisonnez à votre goût. Servez la soupe avec le pesto et le parmesan.

Soupe marocaine à l'agneau et aux pois chiches

Pour 4 à 6 personnes

165 g de pois chiches secs
1 c. s. d'huile d'olive
850 g de gigot d'agneau désossé,
coupé en dés de 1 cm
2 gousses d'ail, pilées
1 oignon moyen, émincé
1/2 c. c. de cannelle en poudre
1/2 c. c. de curcuma en poudre
1/2 c. c. de gingembre en poudre
sel et poivre du moulin
4 c. s. de feuilles de coriandre, ciselées
800 g de tomates
concassées en conserve
1 l de bouillon de volaille
160 g de lentilles en conserve, rincées
feuilles de coriandre

1 Faites tremper les pois chiches toute une nuit dans l'eau froide. Égouttez-les et rincez-les.

2 Faites chauffer l'huile dans une casserole et faites revenir l'agneau 2 à 3 minutes, jusqu'à ce qu'il se colore. Réduisez le feu, ajoutez l'oignon et l'ail et laissez cuire 5 minutes. Ajoutez la cannelle, le curcuma et le gingembre, salez et poivrez et poursuivez la cuisson pendant 2 minutes. Versez le bouillon et 500 ml d'eau, puis ajoutez les tomates et la coriandre. Portez à ébullition.

3 Ajoutez les lentilles et les pois chiches, couvrez et laissez frémir 1 h 30. Retirez le couvercle et prolongez la cuisson pendant 30 minutes, jusqu'à épaississement. Salez et poivrez. Décorez de feuilles de coriandre et servez aussitôt.

Soupe japonaise aux fruits de mer et au poisson

Pour 4 personnes

250 g de nouilles soba
(nouilles japonaises au blé
et au sarrasin)
8 crevettes crues
2 c. s. de gingembre, râpé
4 tiges d'oignons de printemps, ciselées
100 ml de sauce de soja claire
60 ml de mirin (vin de riz doux)
1 c. c. de sucre de palme
ou de sucre roux, en poudre
300 g de filet de saumon, sans la peau,
coupé en lamelle de 5 cm
300 g de filet de poisson blanc,
sans la peau, coupé en lamelle de 5 cm
150 g de corps de calamars,
incisés en croisillons et coupés
en carrés de 3 cm
50 g de roquette, grossièrement hachée

1 Faites cuire les nouilles 5 minutes dans un grand volume d'eau bouillante salée. Égouttez-les et rincez-les à l'eau froide.

2 Décortiquez les crevettes en gardant la queue intacte et retirez la veine dorsale. Placez les carapaces et les têtes dans une casserole avec le gingembre, la moitié des oignons et 1,5 l d'eau. Laissez bouillonner pendant 5 minutes. Filtrez le bouillon, ajoutez la sauce de soja, le mirin et le sucre de palme et faites chauffer quelques minutes, jusqu'à ce que le sucre soit dissous.

3 Mettez les poissons et les calamars dans la casserole et faites-les pocher 2 à 3 minutes, à feu doux. Ajoutez le reste d'oignons de printemps.

4 Répartissez les nouilles dans les bols de service. Ajoutez le poisson, recouvrez de bouillon et décorez de feuilles de roquette.

Soupe aux lentilles rouges, au boulgour et à la menthe

Pour 4 à 6 personnes

2 c. s. d'huile d'olive
1 gros oignon rouge, finement haché
2 gousses d'ail, pilées
2 c. s. de concentré de tomates
2 tomates, finement hachées
2 c. c. de paprika
1 c. c. de piment de Cayenne
500 g de lentilles rouges
50 g de riz long grain
2,125 l de bouillon de volaille
45 g de boulgour fin
2 c. s. de menthe, hachée
2 c. s. de persil plat, haché
90 g de yaourt
1/4 de citron confit, sans la pulpe
et coupé en julienne

1 Faites chauffer l'huile dans une casserole et faites revenir l'oignon et l'ail 2 à 3 minutes. Ajoutez le concentré de tomates, les tomates, le paprika et le piment de Cayenne et faites cuire 1 minute.

2 Ajoutez les lentilles, le riz et le bouillon. Couvrez et portez à ébullition. Réduisez le feu et laissez frémir 30 à 35 minutes, jusqu'à ce que le riz soit cuit.

3 Ajoutez le boulgour, la menthe et le persil. Salez et poivrez. Répartissez la soupe dans les bols de service, garnissez de yaourt et de citron confit et servez aussitôt.

ASTUCE Cette soupe épaissit en refroidissant. Si vous la préparez à l'avance, ajoutez un peu de bouillon au moment de la faire réchauffer.

Soupe ramen au porc et au maïs

Pour 4 personnes

200 g de porc au barbecue (char sui)
2 petits épis de maïs frais (550 g)
200 g de nouilles ramen
(nouilles japonaises au blé)
2 c. c. d'huile d'arachide
1 c. c. de gingembre, râpé
1,5 l de bouillon de volaille
2 c. s. de mirin (vin de riz doux)
2 oignons de printemps, émincés
20 g de beurre doux (facultatif)
1 tige d'oignon de printemps, ciselée

1 Coupez le porc en fines tranches. Retirez les grains de maïs à l'aide d'un couteau pointu.

2 Faites cuire les nouilles 4 minutes dans un grand volume d'eau bouillante salée. Égouttez-les puis rincez-les à l'eau froide.

3 Faites chauffer l'huile dans une casserole et faites revenir le gingembre 1 minute. Versez le bouillon et le mirin et portez à ébullition. Réduisez le feu et laissez frémir 8 minutes.

4 Ajoutez le porc et laissez cuire 5 minutes, puis ajoutez le maïs et les oignons de printemps, et poursuivez la cuisson 4 à 5 minutes, jusqu'à ce que le maïs soit tendre.

5 Séparez les nouilles à la fourchette, puis répartissez-les dans les bols de service. Versez la soupe dessus et ajoutez une noix de beurre dans chaque bol, sans mélanger. Décorez avec les tiges d'oignon de printemps et servez aussitôt.

PRATIQUE Le porc au barbecue est une recette chinoise. La viande est mise à mariner, puis rôtie au four dans un récipient couvert pendant 2 heures. Ce mode de cuisson s'applique également au canard. Vous trouverez du porc au barbecue tout prêt dans les magasins asiatiques.

Soupe de queue de bœuf à la bière

Pour 4 personnes

**2 kg de queue de bœuf, débarrassée
du cartilage
2 c. s. d'huile végétale
2 oignons, finement hachés
1 poireau, finement haché
2 carottes, coupées en dés
1 branche de céleri, coupée en dés
2 gousses d'ail, pilées
2 feuilles de laurier
2 c. s. de concentré de tomates
1 brin de thym
2 brins de persil plat
3,5 l de bouillon de volaille
375 ml de bière brune
2 tomates, coupées en dés
100 g de chou-fleur, détaillé
en fleurettes
100 g de haricots verts
100 g de brocoli, détaillé en fleurettes
100 g d'asperges, en tronçons de 3 cm
sel et poivre du moulin**

1 Faites chauffer le four à 200 °C (Th. 6). Mettez la queue de bœuf dans un plat à rôtir, enfournez et laissez cuire 1 heure en la retournant régulièrement, jusqu'à ce que la viande soit dorée de toutes parts. Laissez refroidir.

2 Faites chauffer l'huile dans une casserole et faites revenir l'oignon, le poireau, les carottes et le céleri 3 à 4 minutes. Ajoutez l'ail, le laurier et le concentré de tomates, puis la queue de bœuf, le thym et le persil.

3 Versez le bouillon et portez à ébullition. Réduisez le feu et laissez frémir 3 heures, jusqu'à ce que la viande se détache de l'os. Écumez régulièrement. Retirez la viande et laissez-la tiédir.

4 Détachez la viande des os et éliminez la graisse ou les tendons. Hachez-la grossièrement et incorporez-la à la soupe, avec la bière brune, la tomate et 500 ml d'eau. Ajoutez les haricots, le chou-fleu, le brocoli et les asperges, puis laissez frémir 5 minutes, jusqu'à ce que les légumes soient tendres. Salez et poivrez.

Soupe de tomates à l'italienne

Pour 4 à 6 personnes

2 c. s. d'huile végétale
2 c. s. d'huile d'olive
2 oignons rouges, finement hachés
2 gousses d'ail, pilées
1 c. s. de cumin en poudre
1/4 c. c. de piment de Cayenne
en poudre
2 c. c. de paprika
2 poivrons rouges, coupés en dés
90 g de concentré de tomates
250 ml de vin blanc sec
500 ml de bouillon de volaille
800 g de tomates concassées
en conserve
2 piments rouges longs, épépinés
et hachés
sel et poivre du moulin
3 c. s. de persil plat, haché
4 c. s. de feuilles de coriandre, hachées

Polenta aux olives
500 ml de bouillon de volaille
ou de légumes
185 g de polenta
100 g d'olives noires, dénoyautées
et hachées
125 ml d'huile d'olive, pour la friture

1 Faites chauffer les deux huiles dans une casserole et faites revenir l'oignon et l'ail 2 à 3 minutes.

2 Réduisez le feu, ajoutez le cumin, le piment de Cayenne et le paprika et laissez mijoter 5 minutes. Ajoutez les poivrons et poursuivez la cuisson pendant 5 minutes. Incorporez le concentré de tomates et le vin, laissez frémir 2 minutes. Versez le bouillon et 500 ml d'eau, ajoutez les tomates et le piment. Salez et poivrez. Laissez frémir 20 minutes. Mixez la soupe avec le persil et la coriandre.

3 Pour la polenta, portez à ébullition le bouillon et 500 ml d'eau dans une casserole. Versez la polenta en pluie fine et remuez jusqu'à obtention d'une pâte lisse. Réduisez le feu au plus bas. Laissez cuire 15 à 20 minutes en remuant sans cesse, jusqu'à ce que la polenta se détache de la paroi. Incorporez les olives, mélangez bien, puis versez cette purée dans un plat rectangulaire graissé. Lissez la surface, couvrez et laissez refroidir 30 minutes. Coupez la polenta en bâtonnets. Faites chauffer l'huile dans une sauteuse et faites frire ces bâtonnets en plusieurs fois, jusqu'à ce qu'ils soient dorés. Égouttez-les et servez-les avec la soupe.

Soupe de légumes au poulet

Pour 4 à 6 personnes

1 poulet de 1,5 kg
1 oignon
2 gros poireaux, coupés en deux
dans le sens de la longueur
3 grosses branches de céleri
5 grains de poivre noir
1 feuille de laurier
2 grosses carottes, coupées en dés
1 gros rutabaga, coupé en dés
2 grosses tomates, pelées, épépinées
et coupées en dés
165 g d'orge
1 c. s. de concentré de tomates
2 c. s. de persil plat, finement haché

1 Mettez le poulet, l'oignon, 1 poireau, 1 branche de céleri coupée en deux, les grains de poivre et le laurier dans une casserole. Couvrez d'eau et portez à ébullition, puis réduisez le feu et laissez frémir 1 h 30, en écumant régulièrement.

2 Passez le bouillon au tamis fin. Réservez le poulet et laissez-le refroidir, puis désossez-le et détaillez la chair en fines lanières. Réservez au réfrigérateur.

3 Laissez refroidir le bouillon et laissez-le reposer une nuit entière au réfrigérateur. Dégraissez-le, puis versez-le dans une casserole et portez à ébullition. Coupez en dés le poireau et le céleri restants et ajoutez-les dans la soupe avec les carottes, le rutabaga, les tomates, l'orge et le concentré de tomates. Laissez frémir 40 à 45 minutes, jusqu'à ce que l'orge soit tendre. Ajoutez le poulet et le persil. Réchauffez la soupe. Salez et poivrez.

Soupe à l'oignon

Pour 6 personnes

50 g de beurre
750 g d'oignons, finement hachés
2 gousses d'ail, finement hachées
45 g de farine
2 l de bouillon de bœuf ou de volaille
250 ml de vin blanc
1 feuille de laurier
2 brins de thym
sel et poivre du moulin
12 tranches de baguette
100 g de parmesan, râpé

1 Faites fondre le beurre dans une casserole à fond épais et faites revenir les oignons à feu doux pendant 25 minutes.

2 Incorporez l'ail et la farine en remuant sans cesse, puis versez progressivement le bouillon et le vin. Portez à ébullition. Ajoutez le laurier et le thym, salez et poivrez. Couvrez et laissez frémir 25 minutes. Retirez la feuille de laurier et le thym. Rectifiez l'assaisonnement. Faites chauffer le gril du four.

3 Faites griller les tranches de pain, puis répartissez-les dans les bols de service. Versez la soupe dessus, parsemez de parmesan râpé et passez les bols sous le gril, jusqu'à ce que le fromage soit fondu et légèrement doré. Servez aussitôt.

Soupe de pois cassés au jambon

Pour 6 à 8 personnes

500 g de pois cassés
2 c. s. d'huile d'olive
2 oignons, hachés
1 carotte, coupée en dés
3 branches de céleri, finement hachées
1 os de jambon
1 jarret de porc fumé
1 feuille de laurier
2 brins de thym
sel et poivre du moulin
jus de citron

1 Mettez les pois cassés dans un récipient, couvrez d'eau et laissez tremper 6 heures. Égouttez soigneusement.

2 Faites chauffer l'huile dans une casserole et faites revenir l'oignon, la carotte et le céleri, puis laissez cuire 6 à 7 minutes à feu doux, jusqu'à ce que les légumes soient tendres.

3 Versez 2,5 litres d'eau froide dans la casserole, ajoutez les pois cassés, l'os de jambon, le jarret de porc, le laurier et le thym. Portez à ébullition, puis baissez le feu et laissez frémir 2 heures, jusqu'à ce que les pois cassés soient cuits. Retirez le laurier et le thym.

4 Retirez l'os de jambon et le jarret de porc, puis désossez ce dernier et émincez la viande. Remettez la viande dans la soupe et réchauffez-la. Salez et poivrez. Incorporez le jus de citron.

ASTUCE Pour obtenir une soupe lisse, mixez-la après avoir retiré l'os de jambon et le jarret. Ajoutez la viande émincée au moment de faire réchauffer la soupe.

Soupe de cresson

Pour 4 personnes

30 g de beurre
1 oignon, finement haché
625 ml de bouillon de volaille
250 g de pommes de terre,
coupées en dés
1 kg de cresson, haché
125 ml de crème fraîche
125 ml de lait
noix de muscade, râpée
sel et poivre du moulin
2 c. s. de ciboulette, hachée

1 Faites fondre le beurre dans une casserole et faites cuire l'oignon à feu doux, jusqu'à ce qu'il soit tendre. Versez le bouillon, ajoutez les pommes de terre et laissez frémir 12 minutes. Ajoutez enfin le cresson et prolongez la cuisson pendant 1 minute.

2 Retirez la casserole du feu et laissez tiédir, puis mixez la soupe jusqu'à obtention d'une texture lisse.

3 Faites chauffer la soupe à feu doux jusqu'au point d'ébullition, puis incorporez la crème et le lait. Salez et poivrez. Assaisonnez de noix de muscade. Mélangez la soupe sur le feu sans la laisser bouillir. Parsemez de ciboulette et servez.

Soupe de tomates au chorizo

Pour 4 à 6 personnes

500 g de chorizo
2 c. s. d'huile d'olive
3 oignons, coupés en deux,
puis émincés
3 gousses d'ail, émincées
1/2 c. c. de cumin en poudre
1 c. c. de paprika
1 à 2 petits piments rouges, épépinés
et finement hachés
1,5 l de bouillon de volaille
800 g de tomates concassées
en conserve
4 c. s. de persil plat, haché

1 Versez de l'eau dans une sauteuse jusqu'à mi-hauteur, ajoutez le chorizo et portez à ébullition. Réduisez le feu et laissez frémir 15 minutes sans couvrir, jusqu'à ce que toute l'eau soit évaporée. Poursuivez la cuisson 3 à 4 minutes à sec, afin que le chorizo soit doré de toutes parts. Laissez-le tiédir et coupez-le en petits tronçons.

2 Faites chauffer l'huile dans une casserole et faites revenir les oignons et l'ail 5 à 6 minutes. Ajoutez le cumin, le paprika, le piment, le bouillon, les tomates et la moitié du persil. Portez à ébullition, ajoutez le chorizo, puis réduisez le feu et laissez frémir 20 minutes. Parsemez de persil frais et servez aussitôt.

Soupe aux haricots rouges

Pour 4 personnes

230 g de haricots rouges
1 c. s. d'huile végétale
1 oignon, finement haché
1 poireau, finement haché
2 gousses d'ail, pilées
2 c. c. de cumin en poudre
4 tranches de bacon, émincées
1 l de bouillon de volaille
sel et poivre noir du moulin
90 g de crème aigre
2 c. s. de ciboulette, ciselée

1 Faites tremper les haricots rouges toute une nuit dans l'eau froide. Égouttez-les et rincez-les.

2 Faites chauffer l'huile dans une casserole et faites revenir l'oignon, le poireau et l'ail pendant 3 minutes. Ajoutez le cumin et le bacon et prolongez la cuisson pendant 2 à 3 minutes, en remuant sans cesse, jusqu'à ce que le mélange embaume.

3 Versez le bouillon et 500 ml d'eau, ajoutez les haricots et portez à ébullition. Réduisez le feu et laissez frémir 1 heure. Salez et poivrez.

4 Laissez refroidir et mixez la moitié de la soupe. Mélangez-la avec la soupe non mixée et réchauffez le tout à feu doux, sans laisser bouillir. Versez la soupe dans les bols de service, décorez de crème aigre et de ciboulette. Servez aussitôt.

Soupe aigre-douce au bœuf

Pour 4 personnes

1 l de bouillon de volaille
2 tiges de citronnelle, coupées en deux
3 gousses d'ail, pilées
2 morceaux de gingembre, émincés
90 g de coriandre en branches,
tiges effeuillées, feuilles hachées
4 oignons de printemps, émincés
en biseau
2 zestes de citron vert
2 étoiles de badiane
3 petits piments rouges, épépinés
et finement hachés
500 g de steak dans le filet
2 c. s. de nuoc-mâm
1 c. s. de sucre de palme ou de sucre
roux, en poudre
sel et poivre noir du moulin
2 c. s. de jus de citron vert
feuilles de coriandre

1 Versez le bouillon dans une casserole, ajoutez la citronnelle, l'ail, le gingembre, les tiges de coriandre, la moitié des oignons de printemps, les zestes de citron, la badiane, 1 cuillerée à café de piment et 1 litre d'eau. Portez à ébullition, puis baissez le feu et couvrez. Laissez frémir 25 minutes. Filtrez le bouillon.

2 Faites chauffer un gril en fonte. Badigeonnez la viande d'un peu d'huile et faites-la saisir rapidement des deux côtés.

3 Réchauffez le bouillon, ajoutez le nuoc-mâm et le sucre de palme. Salez et poivrez. Arrosez de jus de citron vert.

4 Ajoutez le reste des oignons de printemps et les feuilles de coriandre hachées. Coupez le bœuf en fines lamelles et disposez-les dans les bols de service. Versez le bouillon et décorez avec le reste des piments et des feuilles de coriandre entières.

Soupe aux pâtes et aux haricots

Pour 4 personnes

200 g de haricots rouges secs
60 ml d'huile d'olive
90 g de bacon, émincé
1 oignon, finement haché
2 gousses d'ail, pilées
1 branche de céleri, émincée
1 carotte, coupée en dés
sel et poivre noir du moulin
1 feuille de laurier
1 brin de romarin
1 brin de persil plat
400 g de tomates concassées en conserve
1,5 l de bouillon de légumes
2 c. s. de persil plat, finement haché
150 g de ditalini ou de petits macaronis
huile d'olive vierge extra
parmesan frais râpé

1 Faites tremper les haricots une nuit entière dans l'eau froide. Égouttez et rincez.

2 Faites chauffer l'huile dans une casserole et faites dorer le bacon, l'oignon, l'ail, le céleri et la carotte. Salez et poivrez. Versez le bouillon, ajoutez le laurier, le romarin, le persil, les tomates et les haricots et portez à ébullition. Réduisez le feu et laissez frémir 1 h 30. Ajoutez au besoin de l'eau bouillante.

3 Retirez le laurier, le romarin et le persil. Prélevez 250 ml de soupe et mixez-la. Remettez la soupe mixée dans la casserole, salez et poivrez, puis ajoutez le persil et les pâtes. Laissez frémir 6 minutes, jusqu'à ce que les pâtes soient *al dente*. Retirez la casserole du feu et laissez reposer 10 minutes. Arrosez d'un filet d'huile d'olive et parsemez de parmesan râpé. Servez aussitôt.

Soupe aux huit trésors

Pour 4 personnes

10 g de champignons shiitake
déshydratés
375 g de nouilles aux œufs fraîches,
épaisses
1,25 l de bouillon de volaille
60 ml de sauce de soja claire
2 c. c. de vin de riz chinois
200 g de blancs de poulet,
coupés en lamelles de 1 cm
200 g de porc au barbecue
(voir page 61), coupé en lamelles
de 5 mm
1/4 d'oignon, finement haché
1 carotte, coupée en lamelles de 1 cm
125 g de pois gourmands (mange-tout),
coupés en deux
4 oignons de printemps, émincés

1 Mettez les champignons dans un récipient, couvrez-les d'eau bouillante et laissez-les tremper 20 minutes. Égouttez-les et pressez-les pour en extraire toute l'eau. Jetez les tiges fibreuses et émincez les chapeaux.

2 Faites cuire les nouilles 1 minute dans un grand volume d'eau bouillante salée. Égouttez-les et rincez-les à l'eau froide. Répartissez-les dans les bols de service préalablement chauffés.

3 Pendant ce temps, portez le bouillon à ébullition dans une casserole. Réduisez le feu, incorporez la sauce de soja et le vin de riz en remuant pour bien mélanger. Laissez frémir 2 minutes. Ajoutez le poulet et le porc et poursuivez la cuisson pendant 2 minutes, jusqu'à ce que le poulet soit cuit. Ajoutez l'oignon, la carotte, les pois gourmands, les champignons et la moitié des oignons de printemps. Prolongez la cuisson jusqu'à ce que la carotte soit juste tendre.

4 Répartissez les légumes et la viande dans les bols de service et arrosez de bouillon chaud. Décorez avec le reste des oignons de printemps.

Soupe d'hiver

Pour 4 personnes

1 c. s. d'huile d'olive
1,25 kg de souris d'agneau
2 oignons, hachés
4 gousses d'ail, hachées
250 ml de vin rouge
2,5 l de bouillon de bœuf
2 feuilles de laurier
1 c. s. de romarin haché
sel et poivre du moulin
425 g de coulis de tomates
en conserve
165 g d'orge perlé, rincé et égoutté
1 grosse carotte, coupée en dés
1 pomme de terre, coupée en dés
1 navet, coupé en dés
1 panais, coupé en dés
2 c. s. de gelée de groseilles

1 Faites chauffer l'huile dans une casserole et faites dorer la viande. Retirez et réservez au chaud.

2 Mettez l'oignon dans la casserole et faites-le revenir 8 minutes à feu doux. Ajoutez l'ail, remuez 30 secondes sur le feu, puis versez le vin et laissez frémir 5 minutes.

3 Versez 1,5 litre de bouillon dans la casserole, puis ajoutez les souris d'agneau, le laurier et la moitié du romarin. Salez et poivrez. Portez à ébullition. Réduisez le feu, couvrez et laissez frémir 2 heures. Retirez la viande et laissez-la tiédir.

4 Retirez les os des souris d'agneau et hachez la viande grossièrement. Remettez-la dans la casserole avec le coulis de tomates, l'orge, le reste du romarin et le reste du bouillon. Laissez frémir 30 minutes. Ajoutez les légumes et poursuivez la cuisson pendant 1 heure. Retirez les feuilles de laurier et incorporez la gelée de groseilles.

Soupe piquante aux crevettes

Pour 4 personnes

1 kg de crevettes crues,
de taille moyenne
1 c. s. d'huile d'olive
2 c. s. de pâte de piment
2 blancs de citronnelle, écrasés
4 feuilles de citronnier kaffir
(citron vert thaïlandais)
3 petits piments rouges, émincés
80 à 100 ml de nuoc-mâm
80 à 100 ml de jus de citron vert
2 c. c. de sucre de palme
ou de sucre roux, en poudre
4 oignons de printemps,
émincés
4 c. s. de feuilles de coriandre

1 Décortiquez les crevettes en gardant l'extrémité de la queue et retirez la veine dorsale. Réservez les têtes et les carapaces. Couvrez les crevettes et mettez-les au réfrigérateur.

2 Versez l'huile dans un wok préchauffé et faites cuire 8 minutes les têtes et les carapaces, jusqu'à ce qu'elles aient changé de couleur.

3 Ajoutez la pâte de piment et 60 ml d'eau. Laissez mijoter 1 minute, jusqu'à ce que le mélange embaume. Versez 2 litres d'eau, portez à ébullition, puis réduisez le feu et laissez frémir 20 minutes. Filtrez le bouillon, puis remettez-le dans le wok.

4 Ajoutez les crevettes, la citronnelle, les feuilles de citronnier kaffir et le piment rouge. Laissez frémir 4 à 5 minutes. Incorporez le nuoc-mâm, le jus de citron vert, le sucre, les oignons de printemps et la coriandre. Retirez la citronnelle et servez aussitôt.

Goulash aux boulettes de parmesan

Pour 4 à 6 personnes

3 c. s. d'huile d'olive
1 kg de macreuse de bœuf,
coupée en dés de 1 cm
2 gros oignons, hachés
3 gousses d'ail, pilées
1 poivron vert, haché
1 c. s. de carvi en poudre
3 c. s. de paprika doux
1/2 c. c. de noix de muscade en poudre
1 pincée de piment de Cayenne
1/2 c. c. de fleur de sel
400 g de tomates concassées
en conserve
2 l de bouillon de volaille
350 g de pommes de terre,
coupées en cubes de 2 cm
1 poivron vert, coupé en julienne
2 c. s. de crème aigre
sel et poivre du moulin

Boulettes au parmesan
1 œuf
3 c. s. de parmesan frais, râpé
75 g de farine à levure incorporée
1 pincée de piment de Cayenne

1 Faites chauffer la moitié de l'huile dans une casserole et faites revenir les cubes de viande 1 à 2 minutes. Réservez. Faites chauffer le reste d'huile dans la même casserole et faites fondre l'oignon, l'ail et le poivron 5 à 6 minutes. Incorporez le carvi, le paprika, la noix de muscade, le piment de Cayenne et la fleur de sel. Poursuivez la cuisson 1 minute.

2 Remettez le bœuf dans la casserole et mélangez bien. Incorporez les tomates et le bouillon. Portez à ébullition, puis baissez le feu, couvrez et laissez mijoter 1 h 15. Ajoutez les pommes de terre et laissez cuire le tout encore 30 minutes. Ajoutez enfin la julienne de poivron et la crème aigre. Salez et poivrez.

3 Mélangez à la fourchette l'œuf, le parmesan, la farine, le piment et une pincée de sel jusqu'à obtention d'une pâte souple. Ajoutez 1 à 2 cuillerées à soupe d'eau si nécessaire. Étalez la pâte sur un plan de travail fariné et pétrissez-la 5 minutes. Façonnez des boulettes de la valeur de 1 cuillerée à café de pâte, plongez-les dans la soupe frémissante et laissez cuire 6 minutes. Servez aussitôt.

Soupe de potiron

Pour 4 personnes

2 kg de potiron
40 g de beurre
2 oignons, hachés
1/2 c. c. de graines de cumin
1 l de bouillon de volaille
1 feuille de laurier
80 ml de crème fraîche
1 pincée de noix de muscade
sel et poivre noir du moulin

1 Épluchez le potiron et coupez-le en petits morceaux. Faites fondre le beurre dans une casserole, puis faites revenir l'oignon 5 à 7 minutes à feu doux. Ajoutez les graines de cumin et laissez-les cuire 1 minute, puis versez le bouillon. Ajoutez le potiron et la feuille de laurier. Portez à ébullition, puis réduisez le feu et laissez frémir 20 minutes, jusqu'à ce que le potiron soit tendre. Retirez la feuille de laurier et laissez tiédir la soupe.

2 Mixez la soupe, incorporez la crème et la noix de muscade, puis remettez la soupe sur le feu pour la réchauffer, sans la laisser bouillir. Salez et poivrez. Servez aussitôt.

Soupe de chou-fleur aux amandes

Pour 4 personnes

75 g d'amandes mondées
1 c. s. d'huile d'olive
1 blanc de poireau, haché
2 gousses d'ail, pilées
1 kg de chou-fleur, détaillé en fleurettes
370 g de pommes de terre,
coupées en dés de 1,5 cm
1,75 l de bouillon de volaille

Pains au fromage
4 petits pains ronds
40 g de beurre ramolli
125 de cheddar, râpé
50 g de parmesan, râpé

1 Faites chauffer le four à 180 °C (Th. 4). Étalez les amandes sur une plaque allant au four et faites-les griller 5 minutes.

2 Faites chauffer l'huile dans une casserole et faites fondre le poireau 2 à 3 minutes. Ajoutez l'ail, laissez-le cuire 30 secondes, puis incorporez le chou-fleur, les pommes de terre et le bouillon. Portez à ébullition, puis réduisez le feu et laissez mijoter 15 minutes, jusqu'à ce que les légumes soient tendres. Laissez refroidir 5 minutes.

3 Mixez la soupe avec les amandes. Salez et poivrez, puis réchauffez-la à feu moyen sans la laisser bouillir. Servez aussitôt avec les petits pains au fromage.

4 Pour les pains au fromage, coupez les petits pains en deux et beurrez-les. Mélangez le parmesan et le cheddar et étalez ce mélange sur les moitiés de pain. Fermez les petits pains et enveloppez-les dans du papier d'aluminium. Faites-les cuire au four 15 à 20 minutes, jusqu'à ce que le fromage soit fondu.

Les plats épicés

Agneau korma

Pour 4 à 6 personnes

**2 kg de gigot, dégraissé
et coupé en cubes de 3 cm
1 oignon, haché
2 c. c. de gingembre, râpé
3 gousses d'ail, pilées
2 c. c. de coriandre en poudre
2 c. c. de cumin en poudre
1 c. c. de graines de cardamome
1 grosse pincée de piment de Cayenne
2 c. s. de ghee (beurre clarifié)
ou d'huile
1 oignon émincé, en supplément
125 g de yaourt nature épais
125 g de crème épaisse
1 bâton de cannelle
amandes effilées, grillées à sec
sel et poivre du moulin
feuilles de coriandre**

Riz au safran
**25 g de beurre
3 feuilles de laurier
400 g de riz basmati, lavé, trempé dans
l'eau froide 30 minutes, puis égoutté
1/4 c. c. de stigmates de safran, trempés
2 minutes dans 2 c. s. d'eau chaude
500 ml de bouillon de légumes bouillant
sel et poivre du moulin**

1 Placez l'agneau dans un grand saladier. Mixez l'oignon, le gingembre, l'ail, la coriandre, le cumin, la cardamome et le piment de Cayenne, jusqu'à obtention d'une pâte lisse. Enrobez les cubes d'agneau de cette pâte. Laissez macérer 1 heure.

2 Préchauffez le ghee dans une sauteuse, ajoutez l'oignon supplémentaire et faites-le fondre 7 minutes à feu doux. Faites dorer l'agneau sur toutes les faces, en remuant sans cesse. Incorporez le yaourt, la crème et la cannelle. Réduisez le feu, couvrez et laissez mijoter 50 minutes (ajoutez un peu d'eau si nécessaire). Salez et poivrez.

3 Pour le riz au safran, faites fondre le beurre dans une poêle. Ajoutez les feuilles de laurier et le riz et faites cuire 6 minutes en remuant, jusqu'à ce que le riz soit complètement sec. Versez les stigmates de safran avec leur eau de trempage, le bouillon et 375 ml d'eau bouillante. Salez et poivrez. Portez à ébullition. Couvrez, réduisez le feu et laissez mijoter 15 minutes.

4 Décorez l'agneau d'amandes grillées et de feuilles de coriandre. Servez avec le riz au safran.

Poulet aux piments et aux noix de cajou

Pour 4 personnes

Confiture de piments
10 piments rouges longs, séchés
4 c. s. d'huile d'arachide
1 poivron rouge, haché
1 tête d'ail, épluchée
et grossièrement hachée
200 g d'échalotes, hachées
100 g de sucre de palme
ou de sucre roux, en poudre
2 c. s. de pâte de tamarin

1 c. s. d'huile d'arachide
6 oignons de printemps,
en tronçons de 3 cm
500 g de blancs de poulet,
coupés en lamelles
50 g de noix de cajou nature, grillées
1 c. s. de nuoc-mâm
15 g de basilic

1 Préparez la confiture de piments : faites tremper les piments 15 minutes dans l'eau bouillante. Égouttez-les, épépinez-les et hachez-les grossièrement. Mélangez-les avec l'huile, le poivron, l'ail et l'échalote et mixez jusqu'à obtention d'une pâte lisse. Préchauffez un wok à feu moyen, puis ajoutez la préparation au piment. Faites cuire 15 minutes en remuant de temps en temps. Ajoutez le sucre et le tamarin et laissez mijoter 10 minutes, jusqu'à coloration. Retirez du wok et réservez.

2 Lavez le wok et faites-le chauffer à feu vif, puis étalez l'huile au fond. Faites revenir les oignons de printemps pendant 1 minute, ajoutez le poulet et faites-le dorer 3 à 5 minutes, jusqu'à ce qu'il soit tendre. Incorporez les noix de cajou, le nuoc-mâm et 4 cuillerées à soupe de confiture de piments. Laissez cuire encore 2 minutes. Parsemez de feuilles de basilic et servez aussitôt.

PRATIQUE Le tamarin, fruit du tamarinier, possède une saveur acide. Il est vendu sous la forme d'une pâte épaisse, violet foncé, prête à l'emploi.

ASTUCE Utilisez un wok antiadhésif pour réaliser cette recette, car la purée de tamarin réagit au contact du métal ordinaire et le teinte.

Agneau sauté à la menthe et au piment

Pour 4 personnes

2 c. s. d'huile
**750 g de filet d'agneau,
coupé en tranches fines
4 gousses d'ail, finement hachées
I petit oignon rouge,
coupé en quartiers
2 petits piments rouges, émincés
80 ml de sauce d'huître
5 c. c. de nuoc-mâm
2 c. c. de sucre
25 g de feuilles de menthe, hachées
5 g de feuilles de menthe entières**

I Préchauffez un wok à feu vif, versez I cuillerée d'huile, puis faites revenir l'agneau et l'ail en plusieurs fois, pendant I à 2 minutes, jusqu'à ce que l'agneau soit presque cuit. Réservez au chaud.

2 Faites chauffer l'huile restante dans le wok et faites revenir l'oignon 2 minutes.

3 Remettez la viande dans le wok. Incorporez le piment, la sauce d'huître, le nuoc-mâm, le sucre et la menthe hachée. Continuez la cuisson I à 2 minutes.

4 Retirez le wok du feu, ajoutez les feuilles de menthe et servez ce plat accompagné de riz.

Porc vindaloo

Pour 4 personnes

1 jambon de 1 kg avec os, dégraissé
6 gousses de cardamome
1 c. c. de poivre noir en grain
4 piments séchés
1 c. c. de clous de girofle
1 bâton de cannelle de 10 cm,
grossièrement émietté
1 c. c. de graines de cumin
1/2 c. c. de curcuma en poudre
1/2 c. c. de graines de coriandre
1/4 c. c. de graines de fenugrec
4 c. s. de vinaigre blanc
1 c. s. de vinaigre balsamique
4 c. s. d'huile
2 oignons, émincés
10 gousses d'ail, pilées
1 morceau de gingembre de 5 cm,
coupé en allumettes
3 tomates bien mûres,
grossièrement hachées
4 piments verts, hachés
1 c. c. de sucre de palme
ou de sucre roux
sel et poivre du moulin

1 Retirez l'os du jambon et coupez la viande en cubes de 2,5 cm. Réservez l'os.

2 Ouvrez les gousses de cardamome et retirez les graines. Pilez les graines de cardamome avec le reste des épices. Mélangez le tout avec les deux vinaigres dans un récipient. Ajoutez la viande, remuez et laissez mariner 3 heures au réfrigérateur.

3 Préchauffez l'huile dans une sauteuse et faites blondir les oignons. Ajoutez l'ail, le gingembre, les tomates et les piments verts. Remuez soigneusement. Augmentez le feu, ajoutez le jambon et faites-le dorer rapidement. Versez 250 ml d'eau et la marinade, réduisez le feu, puis ramenez doucement à ébullition. Ajoutez le sucre et l'os du jambon. Couvrez et laissez mijoter 1 h 30, jusqu'à ce que la viande soit très tendre, en remuant de temps à autre. Retirez l'os. Salez et poivrez à votre goût.

Beignets de maïs aux épices

Pour 36 pièces

2 épis de maïs frais
3 c. s. de feuilles de coriandre, hachées
6 oignons de printemps,
finement hachés
1 petit piment rouge, épépiné
et finement haché
1 œuf
2 c. c. de cumin en poudre
1/2 c. c. de coriandre en poudre
1 c. c. de sel
poivre noir concassé
125 g de farine
huile végétale pour la friture
sauce aux piments douce

1 Prélevez les grains de maïs avec un couteau bien aiguisé et hachez-les grossièrement. Mettez-les dans un récipient. Grattez les épis au-dessus du récipient pour en extraire tout le jus.

2 Ajoutez les feuilles de coriandre, les oignons de printemps, le piment, l'œuf, le cumin, la coriandre en poudre, le sel et le poivre et remuez. Incorporez la farine et mélangez délicatement. La texture de la pâte variera selon la quantité de jus de maïs. Si l'appareil est trop sec, ajoutez 1 cuillerée à soupe d'eau, mais pas plus car la pâte doit rester grumeleuse. Laissez reposer 10 minutes.

3 Remplissez au tiers une sauteuse d'huile et faites chauffer celle-ci à 180 °C. Plongez des cuillerées légèrement bombées de pâte dans l'huile et faites-les frire 1 minute 30, jusqu'à ce qu'elles soient dorées. Égouttez les beignets sur du papier absorbant et servez aussitôt, avec la sauce aux piments.

Bœuf pimenté à la sauce aux prunes

Pour 4 personnes

2 c. s. d'huile végétale
600 g de filet de bœuf maigre,
coupé en fines lamelles
1 gros oignon rouge,
coupé en quartiers
1 poivron rouge, émincé
3 c. c. de sauce aux piments
125 ml de sauce aux prunes
1 c. s. de sauce de soja claire
2 c. c. de vinaigre de riz
1 grosse pincée de poivre blanc moulu
4 oignons de printemps, émincés

1 Versez 1 cuillerée à soupe d'huile dans un wok préchauffé et faites dorer les morceaux de bœuf en plusieurs fois. Retirez-les du wok et réservez-les au chaud.

2 Faites chauffer le reste d'huile dans le wok et faites blondir l'oignon 1 minute. Ajoutez le poivron et prolongez la cuisson 2 à 3 minutes. Versez la sauce aux piments et remuez sur le feu pendant 1 minute. Remettez la viande dans le wok et incorporez la sauce aux prunes, la sauce de soja, le vinaigre de riz, le poivre blanc et la majeure partie des oignons.

3 Mélangez tous les ingrédients sur le feu pendant 1 minute, jusqu'à ce que la viande soit chaude. Parsemez d'oignons de printemps émincés et servez accompagné de riz ou de nouilles.

Pommes de terre croustillantes à la sauce tomate épicée

Pour 6 personnes

500 g de tomates bien mûres
2 c. s. d'huile d'olive
1/4 d'oignon rouge, finement haché
2 gousses d'ail, pilées
3 c. c. de paprika
1/4 c. c. de piment de Cayenne
1 feuille de laurier
1 c. c. de sucre
sel et poivre du moulin
huile végétale pour la friture
1 kg de pommes de terre roseval,
épluchées et coupées
en cubes de 2 cm
1 c. s. de persil plat, haché

1 Incisez la base de chaque tomate en croix. Plongez-les dans un récipient d'eau bouillante pendant 1 minute, puis dans l'eau froide, et pelez-les en partant de l'incision. Coupez les tomates en deux et épépinez-les. Hachez la chair.

2 Préchauffez l'huile d'olive dans une poêle et faites dorer l'oignon 3 minutes à feu moyen. Ajoutez l'ail, le paprika et le piment de Cayenne et laissez cuire 1 à 2 minutes. Versez 100 ml d'eau, avec la tomate, le laurier et le sucre, et faites mijoter 20 minutes, en remuant de temps en temps. Laissez tiédir. Retirez la feuille de laurier et mixez la préparation. Salez et poivrez généreusement. Maintenez la sauce au chaud sur le feu pendant que vous préparez les pommes de terre.

3 Remplissez au tiers une sauteuse d'huile et faites chauffer celle-ci à 180 °C. Faites frire les pommes de terre en plusieurs fois pendant 10 minutes, jusqu'à ce qu'elles soient dorées et croustillantes. Égouttez-les sur du papier absorbant. Disposez les pommes de terre sur un plat de service et nappez-les de sauce tomate. Décorez de persil.

Chili de bœuf

Pour 4 personnes

**60 ml de ketjap manis
(sauce de soja douce)
3 c. c. de sambal oelek
(purée de piments
d'origine indonésienne)
2 gousses d'ail, pilées
1/2 c. c. de coriandre en poudre
1 c. s. de sucre de palme
ou de sucre roux, en poudre
1 c. c. d'huile de sésame
400 g de filet de bœuf,
brièvement congelé puis émincé
1 c. s. d'huile d'arachide
2 c. s. de cacahuètes grillées, concassées
3 c. s. de feuilles de coriandre, hachées**

1 Mélangez le ketjap manis, le sambal oelek, l'ail, la coriandre, le sucre, l'huile de sésame et 2 cuillerées à soupe d'eau dans un récipient. Ajoutez les lamelles de bœuf, mélangez bien, couvrez et laissez mariner 20 minutes au réfrigérateur.

2 Versez l'huile d'arachide dans un wok préchauffé et faites revenir la viande en plusieurs fois, jusqu'à ce qu'elle soit dorée de toutes parts.

3 Disposez la viande sur un plat de service, parsemez-la de cacahuètes grillées et de coriandre et servez avec un riz cuit à la vapeur.

Poisson Bombay

Pour 4 personnes

2 gousses d'ail, pilées
3 petits piments verts, épépinés
et finement hachés
1/2 c. c. de curcuma en poudre
1/2 c. c. de clous de girofle en poudre
1/2 c. c. de cannelle en poudre
1/2 c. c. de piment de Cayenne
en poudre
1 c. s. de pâte de tamarin (voir p. 98)
170 ml d'huile
800 g de filets de sole
310 ml de crème de coco
sel
2 c. s. de feuilles de coriandre, hachées

1 Mélangez l'ail, le piment, le curcuma, le clou de girofle, la cannelle, le piment de Cayenne, le tamarin et 125 ml d'huile. Placez les filets de poisson dans un plat creux et nappez-les de marinade. Couvrez et laissez reposer 30 minutes au réfrigérateur.

2 Préchauffez le reste d'huile dans une sauteuse et faites cuire les filets de poisson 1 minute de chaque côté. Réduisez le feu et ajoutez la marinade et la crème de coco. Salez et laissez mijoter 3 à 5 minutes, jusqu'à ce que le poisson soit cuit. Si la sauce est trop liquide, retirez le poisson et faites réduire quelques minutes, puis nappez-en le poisson. Décorez de feuilles de coriandre.

Keftas
à la sauce tomate

Pour 4 personnes

1 oignon, haché
500 g d'agneau, haché
1 morceau de gingembre, râpé
3 gousses d'ail, finement hachées
2 piments verts, épépinés
et finement hachés
1/2 c. c. de sel
1 œuf
feuilles de coriandre

Sauce tomate
2 c. c. de graines de coriandre
2 c. c. de graines de cumin
3 c. s. d'huile
1 bâton de cannelle de 10 cm
6 clous de girofle
6 gousses de cardamome
1 oignon, finement haché
1/2 c. c. de curcuma en poudre
1 c. c. de paprika
1 c. c. de garam masala (voir p. 25)
1/2 c. c. de sel
200 g de tomates concassées
en conserve
150 ml de yaourt brassé

1 Pour les boulettes, placez l'oignon dans un tamis et pressez-le avec une cuillère pour en extraire le jus. Récupérez celui-ci dans un récipient, puis ajoutez l'agneau, le gingembre, l'ail, le piment, le sel et l'œuf. Façonnez 20 boulettes de ce mélange, couvrez et réservez au réfrigérateur pendant 2 heures.

2 Pour la sauce, faites griller les graines de coriandre à sec dans une sauteuse jusqu'à ce qu'elles embaument. Répétez l'opération avec les graines de cumin. Pilez finement les épices grillées dans un mortier.

3 Faites chauffer l'huile dans une poêle à fond épais et faites revenir la cannelle, les clous de girofle, les gousses de cardamome et l'oignon jusqu'à ce que le mélange embaume. Ajoutez les épices broyées, le curcuma, le paprika, le garam masala et le sel. Laissez cuire 30 secondes. Ajoutez la tomate, retirez la poêle du feu et incorporez le yaourt. Remettez la poêle sur le feu, déposez les boulettes et portez à ébullition. Laissez mijoter 1 heure à feu très doux, en remuant de temps en temps pour éviter que les boulettes ne collent. Ajoutez un peu d'eau si la sauce accroche. Retirez toutes les épices entières avant de servir. Décorez de coriandre et servez avec du riz basmati.

Poulet sauté aux légumes

Pour 4 personnes

1 c. s. de farine de maïs
2 c. c. de gingembre, finement haché
2 gousses d'ail, pilées
1 petit piment rouge, finement haché
1 c. c. d'huile de sésame
60 ml de sauce de soja claire
500 g de blancs de poulet, émincés
1 c. s. d'huile d'arachide
1 oignon, coupé en deux et émincé
115 g de mini-épis de maïs,
coupés en deux
425 g de chou chinois,
coupé dans le sens de la hauteur
2 c. s. de sauce d'huître
60 ml de bouillon de volaille

1 Mélangez dans un récipient la moitié de la farine de maïs, le gingembre, l'ail, le piment, l'huile de sésame et 2 cuillerées à soupe de sauce de soja. Ajoutez le poulet, remuez et laissez macérer 10 minutes.

2 Versez l'huile d'arachide dans un wok préchauffé et faites blondir l'oignon 2 minutes. Ajoutez le poulet et laissez-le cuire 5 minutes, jusqu'à ce qu'il soit juste rose à cœur. Ajoutez les épis de maïs et laissez cuire 2 minutes, puis faites sauter le chou chinois 2 minutes.

3 Mélangez le reste de farine de maïs et de sauce de soja. Sans cesser de remuer, ajoutez progressivement la sauce d'huître et le bouillon de volaille. Versez cette préparation dans le wok et laissez cuire 1 à 2 minutes, jusqu'à épaississement. Servez aussitôt avec du riz à la vapeur.

Curry de crevettes

Pour 6 personnes

Pâte de curry
10 à 12 gros piments rouges séchés
1 c. c. de poivre blanc
4 échalotes, hachées
4 gousses d'ail, émincées
1 blanc de citronnelle, émincé
2 c. s. de galanga ou de gingembre
moulu
2 petites racines de coriandre, hachées
1 c. s. de pâte de crevettes, grillée à sec
1 c. c. de sel

1 c. s. d'huile d'arachide
1 gousse d'ail, pilée
1 c. s. de nuoc-mâm
30 g de noix de cajou
310 ml de fumet de poisson
1 c. s. de whisky
3 feuilles de kaffir
(citron vert thaïlandais), ciselées
600 g de crevettes crues, décortiquées,
avec la queue
1 petite carotte, coupée en quatre
dans la longueur et émincée en biseau
150 g de haricots verts,
en tronçons de 2 cm
50 g de pousses de bambou
feuilles de basilic
poivre noir du moulin

1 Pour la pâte de curry, faites tremper les piments 15 minutes dans l'eau bouillante. Égouttez-les et hachez-les. Mélangez-les dans un verre doseur avec le poivre blanc, l'échalote, l'ail, la citronnelle, le gingembre, la coriandre, la pâte de crevette et le sel. Mixez jusqu'à obtention d'une pâte lisse. Ajoutez un peu d'eau si nécessaire.

2 Versez l'huile dans un wok préchauffé, ajoutez l'ail et 3 cuillerées à soupe de pâte de curry et laissez cuire 5 minutes en remuant. Versez le nuoc-mâm, les noix de cajou, le fumet de poisson, le whisky, les feuilles de kaffir, les crevettes, la carotte, les haricots et les pousses de bambou. Portez à ébullition, puis réduisez le feu et laissez frémir 5 minutes, jusqu'à ce que les crevettes soient cuites.

3 Décorez de feuilles de basilic et donnez un tour de moulin à poivre. Servez aussitôt.

Côtelettes d'agneau aux épices

Pour 4 personnes

4 gousses d'ail, pilées
1 c. s. de gingembre, râpé
1 c. c. d'huile
1 c. c. de sambal oelek (purée
de piments d'origine indonésienne)
2 c. c. de coriandre en poudre
2 c. c. de cumin en poudre
2 c. s. de sauce de soja
2 c. c. d'huile de sésame
2 c. s. de sauce aux piments douce
2 c. s. de jus de citron
sel et poivre noir concassé
12 côtelettes d'agneau

1 Mélangez l'ail, le gingembre, l'huile, le sambal oelek, la coriandre, le cumin, la sauce de soja, l'huile de sésame, la sauce aux piments douce et le jus de citron. Salez et poivrez.

2 Placez les côtelettes dans un plat, nappez-les de marinade en les retournant plusieurs fois pour bien les enrober. Laissez reposer 20 minutes.

3 Faites griller les côtelettes sur une plaque en fonte très chaude, jusqu'à ce qu'elles soient cuites à votre convenance. Servez avec du riz à la vapeur.

Pois chiches à l'aigre-douce

Pour 6 personnes

500 g de pois chiches
2 c. s. de ghee (beurre clarifié)
ou d'huile
2 gros oignons rouges, émincés
1 morceau de gingembre de 2 cm,
émincé
2 c. c. de sucre
2 c. c. de coriandre en poudre
2 c. c. de cumin en poudre
1 pincée de piment en poudre
1 c. c. de garam masala (voir p. 25)
sel
3 c. s. de pâte de tamarin (voir p. 98)
4 tomates bien mûres, hachées
4 c. s. de feuilles de coriandre
ou de menthe, finement hachées

1 Faites tremper les pois chiches toute une nuit dans 2 litres d'eau. Égouttez-les, puis placez-les dans une grande casserole avec 2 litres d'eau froide. Portez à ébullition et écumez. Couvrez et laissez frémir à feu doux 1 heure 30. Il est essentiel qu'ils soient moelleux à ce stade car ils n'auront plus l'occasion de s'attendrir après addition de la sauce (prolongez la cuisson si nécessaire). Égouttez-les.

2 Préchauffez l'huile dans une poêle à fond épais et faites blondir l'oignon, puis incorporez le gingembre. Ajoutez les pois chiches, le sucre, la coriandre, le cumin, le piment, le garam masala et 1 pincée de sel. Remuez. Incorporez le tamarin et la tomate et laissez frémir 2 à 3 minutes. Versez 500 ml d'eau, portez à ébullition et faites mijoter jusqu'à épaississement. Ajoutez les feuilles de coriandre. Servez ce plat accompagné de pain indien.

Bœuf panang

Pour 4 à 6 personnes

Pâte d'épices
8 à 10 gros piments rouges
6 échalotes
6 gousses d'ail, hachées
1 c. c. de coriandre en poudre
1 c. s. de cumin en poudre
1 c. c. de poivre blanc
2 blancs de citronnelle, émincés
1 c. s. de galanga (ou de gingembre), haché
6 racines de coriandre
2 c. s. de pâte de crevettes, grillée à sec
2 c. s. de cacahuètes, grillées

1 c. s. d'huile d'arachide
400 ml de crème de coco
1 kg de paleron, coupé en tranches de 1 cm d'épaisseur
400 ml de lait de coco
90 g de beurre de cacahuète
4 feuilles de kaffir
(citron vert thaïlandais)
3 c. s. de jus de citron vert
2 1/2 c. s. de nuoc-mâm
3 à 4 c. s. de sucre de palme ou de sucre roux, en poudre
1 c. s. de cacahuètes, grillées et concassées
quelques feuilles de basilic

1 Pour la pâte, faites tremper les piments 15 minutes dans l'eau bouillante, jusqu'à ce qu'ils soient tendres. Épépinez-les et hachez-les. Passez-les au robot avec les échalotes, l'ail, la coriandre en poudre, le cumin, le poivre blanc, la citronnelle, le galanga, les racines de coriandre, la pâte de crevettes et les cacahuètes, jusqu'à obtention d'une pâte lisse. Ajoutez un peu d'eau si celle-ci est trop épaisse.

2 Versez l'huile d'arachide et la couche de surface de la crème de coco dans une casserole et faites chauffer à feu moyen 10 minutes. Incorporez 6 à 8 cuillerées à soupe de pâte et faites mijoter 8 minutes en remuant, jusqu'à ce que la préparation embaume.

3 Ajoutez le bœuf, le lait de coco, le beurre de cacahuète, les feuilles de kaffir et le reste de crème de coco. Poursuivez la cuisson 8 minutes, jusqu'à coloration de la viande. Réduisez le feu et laissez frémir 1 heure.

4 Incorporez le jus de citron vert, le nuoc-mâm et le sucre. Décorez de cacahuètes et de feuilles de basilic.

Crevettes cajun à la salsa de tomates

Pour 4 personnes

Mélange cajun
1 c. s. d'ail en poudre
1 c. s. d'oignon en poudre
2 c. c. de thym séché
2 c. c. de poivre blanc en poudre
1 1/2 c. c. de piment de Cayenne
1/2 c. c. d'origan séché
2 c. c. de poivre noir concassé

Salsa de tomates
4 tomates olivettes, épépinées
et hachées
1 concombre libanais, épluché,
épépiné et haché
2 c. s. d'oignon rouge,
coupé en petits dés
2 c. s. de coriandre, hachée
1 c. s. de persil plat, haché
1 gousse d'ail, pilée
2 c. s. d'huile d'olive
1 c. s. de jus de citron vert
sel et poivre du moulin

16 grosses crevettes crues
100 g de beurre, fondu
60 g de cresson, nettoyé
4 oignons de printemps, hachés
quartiers de citron

1 Pour le mélange cajun, mélangez l'ail, l'oignon, le thym, le poivre blanc, le piment, l'origan et le poivre noir concassé.

2 Pour la salsa de tomates, mélangez la tomate, le concombre, l'oignon, la coriandre et le persil dans un saladier. Mixez l'ail, l'huile et le jus de citron, salez et poivrez. Versez cette sauce sur la salsa de tomates, mélangez et réservez au frais jusqu'au moment de servir.

3 Décortiquez les crevettes en gardant l'extrémité de la queue et retirez la veine dorsale. Badigeonnez les crevettes de beurre et arrosez-les généreusement de mélange cajun. Faites-les griller sur une plaque en fonte ou au barbecue, 2 à 3 minutes de chaque côté, jusqu'à ce qu'elles soient cuites.

4 Garnissez les assiettes de cresson et de salsa de tomates, ajoutez les crevettes et parsemez d'oignons de printemps. Servez avec les quartiers de citron.

Chili con carne

Pour 4 personnes

2 c. c. de cumin en poudre
1/2 c. c. de piment de la Jamaïque
en poudre
2 c. c. de piment en poudre
1 c. c. de paprika
1 c. s. d'huile végétale
1 gros oignon, finement haché
2 gousses d'ail, pilées
2 petits piments rouges, épépinés
et finement hachés
500 g de bœuf haché
400 g de tomates entières en conserve
2 c. s. de concentré de tomates
425 g de haricots rouges en conserve,
rincés et égouttés
250 ml de bouillon de bœuf
1 c. s. d'origan, haché
1 c. c. de sucre
sel et poivre noir du moulin

1 Préchauffez une poêle à feu moyen et faites griller à sec le cumin, le piment de la Jamaïque, le piment en poudre et le paprika, jusqu'à ce que le mélange embaume. Retirez la poêle du feu.

2 Préchauffez l'huile dans une sauteuse et faites fondre l'oignon 2 à 3 minutes, puis faites cuire l'ail et les piments rouges 1 minute. Ajoutez la viande et faites-la dorer 4 à 5 minutes à feu vif. Émiettez-la à la fourchette.

3 Incorporez la tomate, le concentré de tomates, les haricots, le bouillon, l'origan, le sucre et les épices grillées. Réduisez le feu et laissez mijoter 1 heure, jusqu'à épaississement de la sauce, en remuant régulièrement. Salez et poivrez. Servez avec des tortillas et du guacamole (voir p. 142).

Curry de poisson thaï

Pour 4 personnes

2 c. s. d'huile de soja ou d'huile végétale
500 g de filets de poisson blanc à chair
ferme, coupés en cubes de 2 cm
250 g de crevettes crues, décortiquées,
avec la queue
2 boîtes de 400 g de lait de coco
1 c. s. de pâte de curry rouge
4 feuilles fraîches ou 8 feuilles séchées
de kaffir (citron vert thaïlandais)
2 c. s. de nuoc-mâm
2 c. s. de blanc de citronnelle,
finement haché
2 gousses d'ail, pilées
1 c. s. de galanga (ou de gingembre),
finement haché
1 c. s. de sucre de palme ou de sucre
roux, en poudre
1 c. c. de sel
300 g de tofu ferme,
coupé en cubes de 1,5 cm
60 g de pousses de bambou,
coupées en julienne
1 gros piment rouge, émincé
2 c. c. de jus de citron vert
1 oignon de printemps, émincé
feuilles de coriandre, ciselées

1 Préchauffez l'huile dans une poêle et saisissez le poisson et les crevettes à feu moyen, 1 minute de chaque côté. Retirez-les de la poêle.

2 Versez 60 ml de lait de coco et la pâte de curry dans la poêle et faites chauffer 2 minutes à feu moyen, jusqu'à ce que le mélange embaume. Incorporez le reste de lait de coco, les feuilles de kaffir, le nuoc-mâm, la citronnelle, l'ail, le galanga, le sucre et le sel. Laissez mijoter à feu doux 15 minutes.

3 Ajoutez le tofu, les pousses de bambou et le piment. Augmentez le feu et incorporez le poisson et le jus de citron. Poursuivez la cuisson pendant 3 minutes, jusqu'à ce que le poisson soit cuit. Retirez du feu.

4 Servez le curry décoré d'oignon de printemps et de coriandre. Accompagnez d'un riz blanc.

Masala de pommes de terre

Pour 4 personnes

2 c. s. d'huile
1 c. c. de graines de moutarde noire
10 feuilles de curry
1/4 c. c. de curcuma en poudre
1 morceau de gingembre de 1 cm, râpé
2 piments verts, finement hachés
2 oignons, hachés
500 g de pommes de terre,
coupées en cubes de 2 cm
1 c. s. de pâte de tamarin (voir p. 98)
sel

1 Préchauffez l'huile dans une poêle à fond épais, ajoutez les graines de moutarde et couvrez. Lorsqu'elles commencent à éclater, incorporez les feuilles de curry, le curcuma, le gingembre, le piment et l'oignon. Laissez mijoter sans couvrir, jusqu'à ce que l'oignon soit tendre.

2 Versez 250 ml d'eau dans la poêle, ajoutez les pommes de terre et portez à ébullition. Quand les pommes de terre sont tendres et presque réduites en purée, augmentez le feu pour que tout le liquide de cuisson s'évapore. Ajoutez alors le tamarin et salez. Servez aussitôt.

PRATIQUE Cette préparation sert traditionnellement à farcir des feuilles de riz, que l'on fait ensuite dorer dans l'huile.

Curry de bœuf Madras

Pour 6 personnes

1 c. s. d'huile végétale
2 oignons, finement hachés
3 gousses d'ail, finement hachées
1 c. s. de gingembre, râpé
4 c. s. de pâte de curry madras
1 kg de macreuse, dégraissée
et coupée en cubes de 3 cm
60 g de concentré de tomates
250 ml de bouillon de bœuf
6 pommes de terre nouvelles,
coupées en deux
155 g de petits pois surgelés

1 Préchauffez le four à 180 °C (Th. 4). Faites chauffer l'huile dans une cocotte à fond épais et faites revenir l'oignon 4 à 5 minutes, à feu moyen. Ajoutez l'ail et le gingembre et laissez cuire encore 5 minutes, jusqu'à ce que l'oignon soit légèrement doré.

2 Incorporez la pâte de curry et laissez chauffer 2 minutes, en remuant, jusqu'à ce qu'elle embaume. Ajoutez la viande et faites cuire 2 minutes à feu vif, jusqu'à ce qu'elle se colore. Versez alors le bouillon et le concentré de tomates. Mélangez bien.

3 Couvrez et faites cuire 50 minutes au four, en remuant à deux reprises pour éviter que la préparation attache. Ajoutez un peu d'eau si nécessaire. Réduisez la température du four à 160 °C (Th. 2-3). Incorporez les pommes de terre et poursuivez la cuisson pendant 30 minutes. Ajoutez enfin les petits pois et maintenez encore 10 minutes au four. Servez le curry chaud, accompagné de riz au jasmin cuit à la vapeur.

Chou-fleur
à la moutarde

Pour 4 personnes

2 c. c. de graines de moutarde jaune
2 c. c. de graines de moutarde noire
1 c. c. de curcuma en poudre
1 c. c. de purée de tamarin (voir p. 98)
2 c. s. d'huile végétale
2 gousses d'ail, finement hachées
1/2 oignon, finement haché
600 g de chou-fleur,
détaillé en fleurettes
3 piments doux verts, épépinés
et finement hachés
2 c. c. de graines de nigelle
ou de sésame
sel

1 Broyez finement les graines de moutarde au moulin ou dans un mortier. Ajoutez le curcuma, le tamarin et 100 ml d'eau, puis mélangez jusqu'à obtention d'une pâte homogène et un peu liquide.

2 Faites chauffer 2 cuillerées à soupe d'huile dans une cocotte à fond épais et faites dorer l'ail et l'oignon. Faites sauter le chou-fleur en plusieurs fois, en ajoutant un peu d'huile si nécessaire, jusqu'à ce qu'il soit légèrement doré. Retirez-le de la cocotte. Ajoutez le piment et faites-le frire 1 minute.

3 Remettez le chou-fleur dans la cocotte. Arrosez de pâte à la moutarde, parsemez de graines de nigelle et remuez bien. Portez à ébullition, puis baissez le feu, couvrez et laissez mijoter jusqu'à ce que toute la sauce soit évaporée (vous pouvez ajouter un peu d'eau si la sauce attache avant que le chou-fleur soit tendre). Salez et servez avec du riz blanc.

Curry de crevettes

Pour 4 personnes

500 g de gambas
3 c. c. de jus de citron
3 c. s. d'huile
1/2 oignon, finement haché
1/2 c. c. de curcuma en poudre
1 bâton de cannelle de 5 cm
4 clous de girofle
7 gousses de cardamome
1 morceau de gingembre de 2 cm, râpé
3 gousses d'ail, hachées
1 c. c. de piment en poudre
170 ml de lait de coco
sel

1 Décortiquez les gambas en gardant l'extrémité de la queue et retirez la veine dorsale. Placez-les dans un saladier, arrosez-les de jus de citron, remuez et laissez mariner 5 minutes. Essuyez les gambas avec du papier absorbant.

2 Préchauffez l'huile dans un poêle à fond épais et faites blondir l'oignon. Ajoutez le curcuma, la cannelle, les clous de girofle, la cardamome, le gingembre et l'ail et faites revenir 1 minute. Incorporez le piment et le lait de coco. Salez et portez à ébullition. Réduisez le feu et laissez frémir 2 minutes.

3 Ajoutez les gambas, portez à ébullition, puis laissez mijoter 5 minutes, jusqu'à épaississement de la sauce. Ne laissez pas les crevettes cuire trop longtemps car elles seraient trop fermes.

Boulettes d'agneau au curry

Pour 4 personnes

500 g d'agneau, haché
1 oignon, finement haché
1 gousse d'ail, finement hachée
1 c. c. de gingembre, râpé
1 petit piment, finement haché
1 c. c. de garam masala (voir p. 25)
1 c. c. de coriandre en poudre
50 g d'amandes en poudre
1 c. c. de sel
2 c. s. de feuilles de coriandre, hachées

Sauce au curry
1/2 c. s. d'huile
1 oignon, finement haché
3 c. s. de pâte de curry
400 g de tomates concassées
en conserve
125 g de yaourt nature
1 c. c. de jus de citron

1 Mélangez dans un récipient l'agneau, l'oignon, l'ail, le gingembre, le piment, le garam masala, la coriandre, les amandes et le sel. Façonnez des boulettes de la taille d'une noix.

2 Faites chauffer une poêle antiadhésive et faites dorer les boulettes en plusieurs fois. Il n'est pas nécessaire qu'elles soient complètement cuites.

3 Pour la sauce, faites chauffer l'huile dans une casserole et faites fondre l'oignon 8 minutes. Ajoutez la pâte de curry et faites-la chauffer jusqu'à ce qu'elle embaume. Ajoutez les tomates avec leur jus et laissez frémir 5 minutes. Incorporez le yaourt et le jus de citron. Remuez jusqu'à ce que le mélange soit homogène.

4 Ajoutez les boulettes dans la sauce, couvrez et laissez mijoter 20 minutes à feu doux. Disposez les boulettes sur du riz blanc et parsemez de coriandre hachée.

Nachos de bœuf

Pour 4 personnes

Guacamole
2 gros avocats, bien mûrs
1/2 petit oignon, râpé
2 piments Jalapeño ou Serrano,
épépinés et coupés en petits dés
1 gousse d'ail, pilée
1 tomate, pelée, épépinée
et coupée en dés
1 c. s. de jus de citron vert
2 c. s. de feuilles de coriandre, hachées
1/4 c. c. de sel

2 c. s. d'huile
1 oignon, haché
2 gousses d'ail, pilées
1 c. s. de cumin en poudre
3 c. c. de coriandre en poudre
1 c. c. de piment en poudre
400 g de bœuf maigre, haché
375 g de coulis de tomate
425 g de haricots frits en conserve
225 g de chips de maïs
250 g de cheddar râpé
150 g de crème aigre
4 oignons de printemps, émincés
feuilles de coriandre

1 Préparez le guacamole. Coupez les avocats en deux et retirez les noyaux. Évidez-les, mettez la chair dans un bol et écrasez-la grossièrement à la fourchette. Ajoutez l'oignon, les piments (facultatif), l'ail, la tomate, le jus de citron, la coriandre et le sel. Mélangez délicatement, puis réservez au frais.

2 Préchauffez le four à 180 °C (Th. 4). Faites chauffer l'huile dans une poêle et faites cuire l'oignon, l'ail, le cumin, la coriandre et le piment 2 à 3 minutes. Ajoutez la viande hachée et faites-la revenir 3 à 4 minutes à feu vif, jusqu'à ce qu'elle soit dorée, en l'émiettant à la fourchette. Incorporez le coulis de tomate et les haricots et laissez frémir 10 minutes, jusqu'à épaississement.

3 Étalez les chips de maïs dans quatre assiettes allant au four. Enfournez et faites dorer 10 minutes. Retirez-les du four et saupoudrez-les aussitôt de cheddar. Garnissez de bœuf, de guacamole et de crème aigre. Parsemez d'oignons de printemps émincés et décorez de feuilles de coriandre.

Boulettes d'agneau à la sauce tomate

Pour 4 personnes

1 kg d'agneau, haché
1 oignon, finement haché
2 gousses d'ail, finement hachées
2 c. s. de persil plat, finement haché
2 c. s. de feuilles de coriandre, finement hachées
1/2 c. c. de piment de Cayenne en poudre
1/2 c. c. de piment de la Jamaïque en poudre
1/2 c. c. de gingembre en poudre
1/2 c. c. de cardamome en poudre
1 c. c. de cumin en poudre
1 c. c. de paprika
sel et poivre du moulin

Sauce tomate
2 c. s. d'huile d'olive
1 oignon, finement haché
2 gousses d'ail, finement hachées
2 c. c. de cumin en poudre
1/2 c. c. de cannelle en poudre
1 c. c. de paprika
850 g de tomates concassées
2 c. c. de harissa
4 c. s. de feuilles de coriandre, hachées

1 Préchauffez le four à 180 °C (Th. 4). Graissez légèrement deux plaques de cuisson. Mélangez l'agneau, l'oignon, l'ail, le persil, la coriandre, les piments, le gingembre, la cardamome, le cumin et le paprika. Salez et poivrez. Façonnez des boulettes de la valeur d'une cuillerée à soupe et posez-les sur les plaques. Faites cuire environ 20 minutes au four, jusqu'à ce qu'elles soient dorées.

2 Pendant ce temps, préparez la sauce : faites chauffer l'huile dans une grande casserole et faites fondre l'oignon 5 minutes à feu moyen. Ajoutez l'ail, le cumin, la cannelle et le paprika et laissez cuire 1 minute, jusqu'à ce que le mélange embaume.

3 Incorporez la tomate et la harissa et portez à ébullition, puis laissez frémir 20 minutes. Ajoutez les boulettes et poursuivez la cuisson 10 minutes. Parsemez de coriandre hachée, salez et poivrez généreusement. Servez aussitôt.

Curry de légumes

Pour 4 personnes

Pâte de curry jaune
8 petits piments rouges séchés
1 c. c. de grains de poivre noir
2 c. c. de graines de coriandre
2 c. c. de graines de cumin
1 c. c. de curcuma en poudre
3 c. c. de galanga, haché
5 gousses d'ail, pilées
1 c. c. de gingembre, râpé
5 échalotes
2 blancs de citronnelle, hachés
1 c. c. de pâte de crevettes
1 c. c. de zeste de citron vert,
finement râpé

2 c. s. d'huile d'arachide
500 ml de crème de coco
125 ml de bouillon de légumes
150 g de haricots verts
150 g de mini-épis de maïs
1 aubergine, en tranches de 1 cm
100 g de chou-fleur, détaillé
en fleurettes
2 petites courgettes, en tranches
1 petit poivron rouge, en tranches
1/2 c. s. de nuoc-mâm
1 c. c. de sucre de palme ou de sucre
roux, en poudre
1 petit piment rouge, haché
feuilles de coriandre

1 Pour la pâte de curry, faites tremper les piments 15 minutes dans l'eau bouillante. Égouttez-les et hachez-les. Préchauffez une poêle et faites sauter à sec pendant 3 minutes le poivre, la coriandre, le cumin et le curcuma. Dans un mortier, pilez le piment, les épices grillées, le galanga, l'ail, le gingembre, les échalotes, la citronnelle et la pâte de crevettes, jusqu'à obtention d'une pâte souple. Incorporez le zeste de citron.

2 Préchauffez un wok à feu moyen, versez l'huile et faites-la tourner pour en tapisser le fond. Ajoutez 2 cuillerées à soupe de pâte de curry et laissez cuire 1 minute. Arrosez de 250 ml de crème de coco. Laissez mijoter 10 minutes à feu moyen, jusqu'à épaississement.

3 Versez le bouillon, puis ajoutez les légumes et le restant de crème de coco. Poursuivez la cuisson pendant 5 minutes, jusqu'à ce que les légumes soient juste tendres. Incorporez le nuoc-mâm et le sucre. Décorez de piment haché et de feuilles de coriandre.

Lentilles à l'indienne

Pour 8 personnes

500 g de lentilles jaunes (toor dal)
5 morceaux de kokum de 5 cm
2 c. c. de graines de coriandre
2 c. c. de graines de cumin
2 c. s. d'huile
2 c. c. de graines de moutarde noire
10 feuilles de curry
7 clous de girofle
1 bâton de cannelle de 10 cm
5 piments verts, finement hachés
1/2 c. c. de curcuma en poudre
400 g de tomates concassées
en conserve
20 g de sucre de palme
ou de sucre roux
sel
feuilles de coriandre

1 Faites tremper les lentilles 2 heures dans l'eau froide. Rincez le kokum et faites-le ramollir quelques minutes dans l'eau froide. Égouttez les lentilles et mettez-les dans une casserole à fond épais avec 1 litre d'eau et le kokum. Portez à ébullition, puis laissez frémir 40 minutes jusqu'à ce que les lentilles soient tendres.

2 Faites chauffer une poêle à feu doux et faites griller à sec les graines de coriandre jusqu'à ce qu'elles embaument. Retirez-les et procédez de même avec les graines de cumin. Broyez finement les graines au moulin ou dans un mortier.

3 Faites chauffer l'huile dans une sauteuse et faites éclater les graines de moutarde. Ajoutez les feuilles de curry, les clous de girofle, la cannelle, le piment, le curcuma et les épices broyées. Laissez cuire 1 minute. Incorporez les tomates et continuez la cuisson 2 à 3 minutes. Saupoudrez de sucre, versez cette préparation sur les lentilles et laissez mijoter 10 minutes. Salez. Décorez de feuilles de coriandre.

PRATIQUE Le kokum est le fruit séché du guttier ou garcinia. Il introduit une saveur fruitée acide dans la cuisine indienne. On le trouve dans les épiceries exotiques.

Daurade au piment et au citron vert

Pour 4 à 6 personnes

1 daurade de 1,5 kg, vidée et écaillée
1 citron vert, coupé en rondelles
2 petits piments rouges,
finement hachés
4 feuilles de coriandre
quartiers de citron vert

Sauce aux piments
2 c. c. de pâte de tamarin (voir p. 98)
5 piments rouges longs, épépinés
et hachés
6 grosses gousses d'ail,
grossièrement hachées
6 racines et tiges de coriandre
8 échalotes, hachées
3 c. c. d'huile
5 c. c. de jus de citron vert
130 g de sucre de palme ou de sucre
roux, en poudre
3 c. s. de nuoc-mâm

1 Rincez le poisson et essuyez-le avec du papier absorbant. Pratiquez deux incisions en diagonale sur chaque face, dans la partie la plus épaisse. Farcissez-le de rondelles de citron vert, couvrez-le de film alimentaire et réservez-le au réfrigérateur.

2 Préparez la sauce : délayez la pâte de tamarin dans 3 cuillerées à soupe d'eau. Mixez au robot les piments, l'ail, la coriandre et les échalotes jusqu'à obtention d'une purée fine. Ajoutez un peu d'eau si nécessaire. Faites chauffer l'huile dans une casserole, versez la purée et faites cuire 5 minutes à feu moyen, jusqu'à ce que le mélange embaume. Incorporez le tamarin, le jus de citron vert et le sucre. Laissez mijoter 10 minutes, jusqu'à épaississement. Ajoutez le nuoc-mâm.

3 Garnissez un panier de cuisson vapeur de papier sulfurisé et posez le poisson dessus. Placez le panier au-dessus d'une casserole d'eau frémissante, en veillant à ce que le fond ne soit pas en contact avec l'eau, et faites cuire le poisson à la vapeur, sans laissez bouillir l'eau (comptez 6 minutes par kilo).

4 Nappez le poisson de sauce et parsemez de piment haché et de feuilles de coriandre. Accompagnez de quartiers de citron vert et de riz blanc.

Nouilles sautées aux noix de Saint-Jacques

Pour 4 personnes

500 g de nouilles hokkien
(nouilles japonaises)
60 ml d'huile d'arachide
20 noix de Saint-Jacques
1 gros oignon, émincé
3 gousses d'ail, pilées
1 c. s. de gingembre, râpé
1 c. s. de purée de piments
150 g de chou chinois,
coupé en lamelles de 5 cm
60 ml de bouillon de volaille
2 c. s. de sauce de soja claire
2 c. s. de ketjap manis (sauce de soja
douce)
15 g de feuilles de coriandre
90 g de germes de soja
1 piment rouge long, épépiné et émincé
1 c. c. d'huile de sésame
1 c. s. de vin de riz chinois

1 Placez les nouilles dans un récipient résistant à la chaleur, couvrez-les d'eau bouillante et laissez-les tremper 1 minute. Égouttez-les, rincez-les sous l'eau froide et égouttez-les à nouveau.

2 Préchauffez un wok à feu vif, versez 2 cuillerées à soupe d'huile et faites revenir les noix de Saint-Jacques 20 secondes de chaque côté. Retirez-les du wok et essuyez celui-ci. Versez le reste d'huile dans le wok et faites fondre l'oignon 2 minutes. Ajoutez l'ail et le gingembre et laissez cuire 30 secondes. Incorporez enfin la purée de piments et laissez-la cuire 1 minute, jusqu'à ce qu'elle embaume.

3 Ajoutez le chou chinois, les nouilles, le bouillon, la sauce de soja et le ketjap manis. Faites chauffer 2 à 3 minutes, afin que les nouilles absorbent la majeure partie du liquide. Ajoutez les noix de Saint-Jacques, la coriandre, les germes de soja, le piment, l'huile de sésame et le vin de riz dans le wok. Mélangez sur le feu et servez aussitôt.

Bœuf sauce satay

Pour 4 personnes

**700 g de rumsteck, coupé en cubes
de 2,5 cm
2 petites gousses d'ail, pilées
3 c. c. de gingembre, râpé
1 c. s. de nuoc-mâm
2 petits piments rouges, épépinés
et coupés en julienne**

**Sauce satay
1 c. s. d'huile d'arachide
8 échalotes, finement hachées
8 gousses d'ail, pilées
4 petits piments rouges,
finement hachés
1 c. s. de gingembre, finement haché
250 g de beurre de cacahuète
400 ml de lait de coco
1 c. s. de sauce de soja
60 g de sucre de palme ou de sucre
roux, en poudre
3 c. s. de nuoc-mâm
1 feuille de kaffir
(citron vert thaïlandais)
4 c. s. de jus de citron vert**

1 Mélangez la viande, l'ail et le nuoc-mâm et laissez reposer au moins 3 heures au réfrigérateur. Faites tremper 8 brochettes en bambou 1 heure dans l'eau froide.

2 Préparez la sauce : faites chauffer l'huile dans une casserole et faites revenir les échalotes, l'ail, le piment et le gingembre 5 minutes, en remuant régulièrement, jusqu'à ce que les échalotes soient dorées. Baissez le feu et ajoutez le beurre de cacahuète, le lait de coco, la sauce de soja, le sucre, le nuoc-mâm, la feuille de kaffir et le jus de citron. Laissez frémir 10 minutes, jusqu'à épaississement, puis retirez la feuille de kaffir.

3 Enfilez les cubes de bœuf sur les brochettes et faites-les griller au barbecue ou sur une plaque en fonte, en les retournant à mi-cuisson. Servez les brochettes sur un lit de riz, nappez-les de sauce et décorez de piments.

Brochettes d'agneau

Pour 4 personnes

5 gousses d'ail, grossièrement hachées
1 morceau de gingembre de 5 cm,
grossièrement haché
3 piments verts, grossièrement hachés
1 oignon, grossièrement haché
3 c. s. de yaourt nature
3 c. s. de feuilles de coriandre
1/2 c. c. de poivre noir moulu et sel
500 g d'agneau, haché
rondelles d'oignon rouge
quartiers de citron

1 Mixez l'ail, le gingembre, le piment, le yaourt et les feuilles de coriandre jusqu'à obtention d'une pâte lisse et épaisse. Salez et poivrez, puis mixez la viande avec la pâte.

2 Façonnez 16 boulettes de la valeur de 2 cuillerées à soupe, puis aplatissez-les avec la paume de la main. Couvrez et laissez reposer 20 minutes au réfrigérateur.

3 Préchauffez un gril en fonte. Enfilez les boulettes sur 4 brochettes métalliques et faites-les griller 7 minutes sur une face. Tournez les brochettes et faites-les dorer sur l'autre face, jusqu'à ce que la viande soit cuite. Servez avec des rondelles d'oignon et des quartiers de citron.

Bœuf sauté au basilic

Pour 4 personnes

3 piments oiseau, épépinés
et finement hachés
3 gousses d'ail, pilées
2 c. s. de nuoc-mâm
1 c. c. de sucre de palme ou de sucre
roux, en poudre
3 c. s. d'huile d'arachide ou végétale
400 g de filet de bœuf maigre,
coupé en fines lamelles
150 g de haricots verts,
coupés en tronçons de 3 cm
30 g de basilic

1 Mélangez les piments, l'ail, le nuoc-mâm, le sucre et 1 cuillerée à soupe d'huile dans un récipient. Ajoutez le bœuf, remuez, couvrez et laissez reposer 2 heures au réfrigérateur.

2 Versez 2 cuillerées à soupe d'huile dans un wok préchauffé et faites sauter le bœuf à feu vif pendant 2 minutes, en procédant en deux fois. Retirez la viande du wok.

3 Mettez les haricots dans le wok avec 60 ml d'eau et faites-les cuire 3 à 4 minutes à feu vif, jusqu'à ce qu'ils soient tendres. Ajoutez le bœuf et le basilic. Réchauffez le tout 1 à 2 minutes et servez aussitôt.

Nouilles
et riz

Riz gluant en feuilles de bambou

Pour 20 pièces

20 feuilles de bambou séchées
125 ml d'huile
6 oignons de printemps, hachés
400 g d'aubergines, coupées
en dés de 1 cm
90 g de châtaignes d'eau
1 c. s. de sauce de soja aux
champignons
3 petits piments rouges, épépinés
et finement hachés
2 c. c. de sucre
3 c. s. de feuilles de coriandre, hachées
750 ml d'eau
800 g de riz gluant, lavé et bien rincé
2 c. s. de sauce de soja
poivre blanc

1 Faites tremper les feuilles de bambou 10 minutes dans l'eau bouillante pour les ramollir. Égouttez-les. Préchauffez la moitié de l'huile dans un wok, puis faites dorer les oignons de printemps et l'aubergine 4 à 5 minutes à feu vif. Ajoutez les châtaignes, la sauce de soja, les piments, le sucre et la coriandre. Remuez sur le feu, puis laissez refroidir.

2 Portez l'eau à ébullition. Faites chauffer le reste d'huile dans une casserole, versez le riz et mélangez 2 minutes. Versez 125 ml d'eau bouillante, baissez le feu et laissez cuire en remuant sans cesse jusqu'à évaporation complète du liquide. Répétez l'opération avec le reste d'eau (environ 20 minutes). Ajoutez la sauce de soja et assaisonnez de poivre blanc.

3 Pliez en diagonale un côté d'une feuille de bambou de façon à former un cône. Tenez-le dans une main et garnissez-le de 2 cuillerées à soupe de riz. Formez un trou, farcissez d'aubergine et ajoutez 1 cuillerée à soupe de riz. Repliez l'autre côté de la feuille de bambou pour refermer le cône. Maintenez la feuille en place avec une pique à apéritif et liez-le solidement avec de la ficelle. Répétez l'opération avec le reste des ingrédients. Étalez les cônes de bambou dans un panier à vapeur, couvrez et mettez le panier au-dessus d'une casserole d'eau frémissante. Faites cuire 1 h 30 à la vapeur, en rajoutant un peu d'eau si nécessaire (l'eau ne doit pas toucher la base du panier). Servez chaud.

Boulettes de riz farcies

Pour 10 pièces

440 g de riz à risotto
(arborio, vialone nano ou carnaroli)
1 œuf, légèrement battu
1 jaune d'œuf
50 g de parmesan, râpé
farine
2 œufs, légèrement battus
chapelure
huile végétale pour la friture

Farce à la viande
1 cèpe déshydraté
1 c. s. d'huile d'olive
1 oignon, haché
125 g de bœuf ou de veau haché
2 tranches de jambon cru,
finement haché
2 c. s. de concentré de tomates
80 ml de vin blanc
1 c. c. de feuilles de thym séchées
poivre du moulin
3 c. s. de persil, finement haché

1 Faites cuire le riz 20 minutes à l'eau bouillante. Laissez-le tiédir, puis mélangez-le dans un récipient avec l'œuf, le jaune d'œuf et le parmesan. Remuez bien. Couvrez et réservez.

2 Préparez la farce : faites tremper le cèpe 10 minutes dans l'eau bouillante, puis égouttez-le et pressez-le pour en extraire toute l'eau. Hachez-le finement. Préchauffez l'huile dans une poêle et faites revenir le champignon et l'oignon 3 minutes. Incorporez la viande et faites-la dorer en remuant sans cesse. Ajoutez le jambon, le concentré de tomates, le vin, le thym. Poivrez à votre goût. Laissez mijoter jusqu'à ce que tout le jus soit absorbé. Parsemez de persil et mettez à refroidir. Après avoir humidifié vos mains, façonnez 10 boulettes de riz. Ouvrez-les délicatement et garnissez-les avec 3 cuillerées à café de farce. Refermez les boulettes en pressant délicatement pour maintenir la farce. Roulez-les dans la farine, l'œuf battu et la chapelure et mettez-les à refroidir 1 heure.

3 Versez de l'huile dans une sauteuse à fond épais, jusqu'au tiers de sa hauteur, et faites-la chauffer à 180 °C. Faites frire les boulettes en plusieurs fois, jusqu'à ce qu'elles soient dorées. Égouttez sur du papier absorbant et servez chaud.

Pavé de bœuf au tamarin

Pour 4 personnes

Sauce au tamarin
1 c. s. de pâte de tamarin (voir p. 98)
1 c. s. d'huile végétale
1 oignon, coupé en petits dés
2 c. s. de sucre de palme ou de sucre roux, en poudre

500 g de nouilles hokkien
(nouilles japonaises)
sel et poivre noir du moulin
4 steaks de bœuf dans le filet,
d'environ 115 g chacun
2 c. s. d'huile
3 gousses d'ail, pilées
1 petit piment, épépiné et coupé en dés
300 g de petits haricots verts
100 g de pois gourmands
1 c. s. de mirin (vin de riz doux)
15 g de feuilles de coriandre,
finement hachées

1 Préparez la sauce : diluez la pâte de tamarin dans 250 ml d'eau chaude. Faites chauffer l'huile dans une casserole et faites dorer l'oignon 8 minutes à feu moyen. Saupoudrez de sucre et remuez jusqu'à ce qu'il soit dissous. Versez le tamarin et laissez frémir 5 minutes, jusqu'à épaississement.

2 Rincez les nouilles à l'eau chaude dans une passoire pour les ramollir et séparez-les à la main. Égouttez.

3 Salez et poivrez les steaks. Préchauffez la moitié de l'huile dans une poêle et faites cuire les steaks 3 à 4 minutes de chaque côté. Retirez la poêle du feu et réservez au chaud.

4 Faites chauffer le reste d'huile dans un wok et faites sauter l'ail et le piment 30 secondes à feu vif. Ajoutez les haricots et les pois gourmands et poursuivez la cuisson 2 minutes. Incorporez le mirin et la coriandre. Ajoutez les nouilles et remuez sur le feu jusqu'à ce que le mélange soit chaud.

5 Répartissez les nouilles dans quatre assiettes. Déposez les steaks dessus et arrosez de sauce.

Paella au poulet et au porc

Pour 6 personnes

60 ml d'huile d'olive
1 gros poivron rouge, épépiné
et coupé en lamelles
de 5 mm d'épaisseur
600 g de cuisses de poulet,
coupées en cubes de 3 cm
200 g de chorizo,
coupé en rondelles de 2 cm
200 g de champignons, émincés
3 gousses d'ail, pilées
1 c. s. de zeste de citron
700 g de tomates,
grossièrement hachées
200 g de haricots verts,
coupés en tronçons de 3 cm
1 c. s. de romarin, haché
2 c. s. de persil plat, haché
1/4 c. c. de stigmates de safran,
infusés dans 60 ml d'eau chaude
440 g de riz grain rond
750 ml de bouillon de volaille, chaud
6 quartiers de citron

1 Faites chauffer l'huile à feu moyen dans un plat à paella ou dans une grande poêle profonde et faites fondre le poivron 6 minutes. Réservez.

2 Mettez le poulet dans le plat et faites-le revenir 10 minutes sur toutes les faces, puis faites revenir le chorizo 5 minutes. Réservez.

3 Faites cuire les champignons, l'ail et le zeste de citron 5 minutes à feu doux. Incorporez la tomate et le poivron et poursuivez la cuisson pendant 5 minutes.

4 Ajoutez les haricots, le romarin, le persil, le safran avec son eau de trempage, le riz, le poulet et le chorizo. Ne remuez pas. Réduisez le feu et laissez mijoter 30 minutes. Retirez le plat du feu, couvrez et laissez reposer 10 minutes. Servez la paella accompagnée de quartiers de citron.

PRATIQUE Ne remuez pas la paella durant la cuisson et ne grattez pas le fond du plat pour que puisse se former une fine croûte de riz croustillant. L'usage d'une poêle antiadhésive est déconseillé. On sert traditionnellement la paella dans son plat de cuisson.

Nouilles chiang mai

Pour 4 personnes

250 g de nouilles aux œufs fraîches,
fines
2 c. s. d'huile végétale
6 échalotes, finement hachées
3 gousses d'ail, pilées
2 petits piments rouges, épépinés
et finement hachés
2 à 3 c. s. de pâte de curry rouge
375 g de blancs de poulet,
coupés en lamelles
2 c. s. de nuoc-mâm
1 c. s. de sucre de palme ou de sucre
roux, en poudre
750 ml de lait de coco
1 c. s. de jus de citron vert
250 ml de bouillon de volaille
4 oignons de printemps, émincés
10 g de coriandre
lamelles d'échalotes frites
nouilles frites prêtes à l'emploi
1 piment rouge, en petits dés

1 Faites cuire les nouilles dans une casserole d'eau bouillante. Égouttez, couvrez et réservez.

2 Versez l'huile dans un wok préchauffé et faites revenir 2 minutes les échalotes, l'ail et les piments hachés. Ajoutez le poulet et la pâte de curry, continuez la cuisson pendant 3 minutes, jusqu'à ce qu'il change de couleur.

3 Incorporez le sucre, le nuoc-mâm, le lait de coco, le jus de citron et le bouillon. Réduisez le feu et laissez frémir 5 minutes, sans laisser bouillir.

4 Répartissez les nouilles dans les bols de service et versez la soupe dessus. Décorez d'oignons de printemps, de coriandre, d'échalotes frites, de nouilles frites et de piment.

Nouilles sautées à la thaïlandaise

Pour 4 à 6 personnes

250 g de nouilles de riz sèches, plates
1 c. s. de pâte de tamarin (voir p. 98)
1 petit piment rouge, épépiné
et finement haché
2 gousses d'ail, pilées
2 oignons de printemps, émincés
3 c. c. de sucre roux
2 c. s. de nuoc-mâm
2 c. s. de jus de citron vert
2 c. s. d'huile
2 œufs, battus
150 g de filet de porc, émincé
8 grosses crevettes crues, décortiquées,
avec la queue
100 g de tofu frit, en julienne
90 g de germes de soja
40 g de cacahuètes, grillées
et concassées
3 c. s. de feuilles de coriandre
1 citron vert, coupé en quartiers

1 Placez les nouilles dans un récipient résistant à la chaleur, couvrez d'eau bouillante et laissez reposer 15 à 20 minutes. Égouttez bien.

2 Diluez la pâte de tamarin avec 1 cuillerée à soupe d'eau. Mettez le piment, l'ail et les oignons de printemps dans un mortier et réduisez-les en pâte lisse. Transférez cette pâte dans un récipient et incorporez le tamarin, le sucre, le nuoc-mâm et le jus de citron vert. Mélangez bien.

3 Mettez 1 cuillerée à soupe d'huile dans un wok préchauffé et versez les œufs battus. Quand l'omelette est cuite, faites-la glisser sur une assiette, roulez-la en coupez-la en lanières.

4 Faites chauffer le reste d'huile dans le wok et faites revenir la préparation au piment 30 secondes. Ajoutez le porc et laissez-le cuire 2 minutes. Incorporez les crevettes et poursuivez la cuisson pendant 1 minute, jusqu'à ce qu'elles changent de couleur.

5 Incorporez les nouilles, l'omelette, le tofu et les germes de soja. Remuez délicatement sur le feu, jusqu'à ce que le mélange soit chaud. Décorez de cacahuètes et de coriandre et servez aussitôt avec des quartiers de citron vert.

Risotto à la milanaise

Pour 4 personnes

185 ml de vermouth blanc sec
ou de vin blanc
1 grosse pincée de stigmates de safran
1,5 l de bouillon de volaille
100 g de beurre
70 g de moelle de bœuf
1 gros oignon, finement haché
1 gousse d'ail, pilée
sel et poivre du moulin
350 g de riz à risotto
(arborio, vialone nano ou carnaroli)
150 g de parmesan, râpé

1 Versez le vermouth dans un récipient, ajoutez le safran et laissez macérer 10 minutes. Faites chauffer le bouillon de volaille dans une casserole et maintenez un léger frémissement.

2 Faites fondre le beurre et la moelle de bœuf dans une casserole à fond épais et faites fondre l'ail et l'oignon. Ajoutez le riz et baissez le feu. Salez et poivrez. Mélangez bien pour que les grains de riz soient enrobés uniformément de beurre et de moelle.

3 Versez le vermouth et le safran et augmentez le feu jusqu'au point d'ébullition. Faites cuire à feu moyen en remuant sans cesse, jusqu'à complète absorption du liquide.

4 Versez une louche de bouillon et laissez cuire en remuant constamment. Quand tout le bouillon est absorbé, versez une autre louche. Continuez à mouiller ainsi pendant 20 minutes, jusqu'à ce que le riz soit cuit. Ajoutez un peu plus de bouillon ou d'eau si nécessaire.

5 Retirez du feu, incorporez 100 g de parmesan et mélangez bien. Saupoudrez le reste du parmesan au moment de servir.

Nouilles soba aux aubergines et aux petits pois

Pour 4 personnes

250 g de nouilles de sarrasin (soba)
3 c. c. de dashi (bouillon japonais)
en granulés
1 1/2 c. s. de miso (pâte fermentée
à base de haricots de soja)
1 1/2 c. s. de sauce de soja japonaise
1 1/2 c. s. de mirin (vin de riz doux)
2 c. s. d'huile végétale
1/2 c. c. d'huile de sésame
6 mini-aubergines, en tranches de 1 cm
2 gousses d'ail, pilées
1 c. s. de gingembre, râpé
150 g de petits pois, cuits
2 oignons de printemps,
émincés en biseau
graines de sésame grillées

1 Faites cuire les nouilles 5 minutes dans un grand volume d'eau bouillante. Égouttez-les et rafraîchissez-les sous l'eau froide.

2 Faites fondre le dashi dans 375 ml d'eau bouillante. Incorporez le miso, la sauce de soja et le mirin.

3 Faites chauffer l'huile de sésame et l'huile végétale dans un wok et faites dorer les rondelles d'aubergines 3 minutes de chaque côté. (Si le wok n'est pas très grand, procédez en deux fois.)

4 Ajoutez l'ail et le gingembre, puis le bouillon. Portez à ébullition avant de baisser le feu et laissez frémir 10 minutes. Quand l'aubergine est cuite, ajouter les nouilles et les petits pois et réchauffez le tout 2 minutes.

5 Décorez d'oignons de printemps et de graines de sésame. Servez aussitôt.

Fondue mongole

Pour 6 personnes

250 g de vermicelles de riz
600 g de côtes premières d'agneau,
émincées
4 oignons de printemps, émincés
1,5 l de bouillon de volaille léger
1 morceau de gingembre,
coupé en six tranches
2 c. s. de vin de riz chinois
300 g de tofu ferme,
coupé en dés de 1,5 cm
300 g de brocolis chinois,
coupés en tronçons de 4 cm
75 g de chou chinois, ciselé

Sauce
80 ml de sauce de soja claire
2 c. s. de pâte de sésame chinoise
1 c. s. de vin de riz chinois
1 c. c. de purée de piments à l'ail

1 Placez les vermicelles dans un grand saladier résistant à la chaleur, couvrez d'eau bouillante et laissez tremper 6 à 7 minutes. Égouttez et répartissez dans les bols de service. Posez les lamelles d'agneau et les oignons de printemps dessus.

2 Pour la sauce, mélangez la sauce de soja, la pâte de sésame, le vin de riz et la purée de piment.

3 Versez le bouillon, le gingembre et le vin de riz dans une casserole. Couvrez et portez à ébullition. Ajoutez le tofu, le brocoli chinois, le chou et laissez frémir 1 minute. Répartissez le tofu, le brocoli et le chou dans les bols, puis arrosez d'une louche de bouillon chaud. Arrosez d'un filet de sauce et servez le reste à côté.

ASTUCE Le bouillon doit être très chaud pour cuire les lamelles d'agneau.

Risotto à la patate douce et à la sauge

Pour 4 personnes

8 tranches de jambon cru
1,25 l de bouillon de volaille
100 ml d'huile d'olive vierge extra
1 oignon rouge, coupé en quartiers
600 g de patates douces à chair orange,
coupées en cubes de 2,5 cm
440 g de riz à risotto
(arborio, vialone nano ou carnaroli)
75 g de copeaux de parmesan
3 c. s. de feuilles de sauge, ciselées
sel et poivre du moulin

1 Faites griller les tranches de jambon 1 à 2 minutes de chaque côté, jusqu'à ce qu'elles soient croustillantes.

2 Faites chauffer le bouillon dans une casserole et maintenez un léger frémissement.

3 Préchauffez 60 ml d'huile dans une casserole et faites fondre l'oignon 2 à 3 minutes à feu moyen. Ajoutez la patate douce et le riz. Mélangez bien.

4 Versez une louche de bouillon chaud et laissez mijoter à feu moyen, en remuant constamment. Quand tout le bouillon est absorbé, versez une autre louche. Continuez à mouiller ainsi pendant 20 minutes, jusqu'à ce que le riz soit crémeux.

5 Incorporez les copeaux de parmesan et 2 cuillerées à soupe de sauge. Salez et poivrez. Répartissez dans quatre assiettes creuses et arrosez d'un filet d'huile. Ciselez le jambon et disposez-le sur le risotto. Parsemez du reste de sauge.

Nouilles hokkien sauce aigre-douce

Pour 4 à 6 personnes

450 g de nouilles hokkien
2 c. s. d'huile végétale
375 g de côtes d'agneau,
coupées en fines lamelles
70 g d'échalotes, émincées
3 gousses d'ail, pilées
2 c. c. de gingembre, finement haché
1 petit piment rouge, épépiné
et finement haché
3 c. c. de pâte de curry rouge
125 g de pois gourmands (mange-tout),
coupés en deux
1 petite carotte, en julienne
125 ml de bouillon de volaille
15 g de sucre de palme ou de sucre
roux, en poudre
1 c. s. de jus de citron vert
feuilles de basilic

1 Placez les nouilles dans un saladier, couvrez-les d'eau bouillante et laissez-les tremper 1 minute. Égouttez et réservez.

2 Faites chauffer 1 cuillerée d'huile dans un wok et faites revenir l'agneau 2 à 3 minutes à feu vif. Réservez dans une assiette.

3 Ajoutez le reste d'huile et faites sauter l'échalote, l'ail, le gingembre et le piment 1 à 2 minutes. Incorporez la pâte de curry et laissez cuire 1 minute. Ajoutez les pois gourmands, la carotte et l'agneau. Continuez la cuisson à feu vif 1 à 2 minutes, en remuant sans cesse.

4 Versez le bouillon, le sucre et le jus de citron, mélangez et laissez cuire 1 minute. Répartissez dans des bols de service et décorez de feuilles de basilic.

Soupe de nouilles au bœuf

Pour 4 personnes

Sauce
1/2 à 1 c. c. de dashi (bouillon japonais)
en granulés
80 ml de sauce de soja
2 c. s. de saké
2 c. s. mirin (vin de riz doux)
1 c. s. de sucre semoule

300 g de vermicelles de riz
50 g de saindoux
5 gros oignons de printemps,
en lamelles de 1 cm
16 champignons shiitake frais,
coupés grossièrement
800 g de rumsteck, en fines lamelles
100 g de cresson
4 œufs (facultatif)

1 Pour la sauce, faites fondre le dashi dans 125 ml d'eau bouillante. Incorporez la sauce de soja, le saké, le mirin et le sucre semoule.

2 Mettez les vermicelles dans un récipient, couvrez-les d'eau bouillante et laissez-les tremper 2 minutes. Rincez à l'eau froide et égouttez bien.

3 Faites fondre le saindoux dans une poêle à feu moyen et faites dorer 1 à 2 minutes les oignons de printemps, les champignons et le bœuf, en remuant constamment. Ajoutez la sauce et le cresson. Laissez cuire 1 minute. La sauce doit juste couvrir les ingrédients.

4 Répartissez les nouilles au bœuf dans les bols de service et arrosez de sauce. Si vous le souhaitez, cassez un œuf dans chaque bol et mélangez-le avec des baguettes pour le faire cuire partiellement.

PRATIQUE Pour découper plus facilement le bœuf, enveloppez-le dans un film alimentaire et mettez-le 40 minutes au congélateur.

Poisson au gingembre et à la tomate

Pour 4 personnes

1 c. s. d'huile d'arachide
1 oignon, coupé en quartiers
1 petit piment rouge, émincé
3 gousses d'ail, pilées
1 morceau de gingembre, en julienne
1/2 c. c. de curcuma en poudre
400 g de tomates concassées
en conserve
1 l de bouillon de volaille
1 c. s. de pâte de tamarin (voir p. 98)
85 g de nouilles de riz sèches, plates
600 g de filets de daurade,
coupés en cubes de 3 cm
feuilles de coriandre

1 Préchauffez le four à 220 °C (Th. 7).
Faites chauffer l'huile dans une poêle
et faites fondre l'oignon 1 à 2 minutes.
Ajoutez le piment, l'ail et le gingembre et
laissez cuire encore 30 secondes. Incorporez le curcuma, la tomate, le bouillon
et la pâte de tamarin. Portez à ébullition,
puis versez la préparation dans un plat à
gratin. Couvrez et faites cuire 40 minutes
au four.

2 Mettez les nouilles dans un récipient
résistant à la chaleur, couvrez-les d'eau
bouillante et laissez tremper 15 à 20 minutes, jusqu'à ce qu'elles soient *al dente*.
Égouttez, rincez et égouttez à nouveau.

3 Sortez le plat du four et incorporez
les nouilles. Ajoutez le poisson et remettez 10 minutes au four, jusqu'à que le
poisson soit cuit. Parsemez de feuilles de
coriandre avant de servir.

Risotto au poulet et aux champignons

Pour 4 personnes

1,25 l de bouillon de légumes
2 c. s. d'huile d'olive
300 g de blancs de poulet, émincés
250 g de petits champignons de Paris, coupés en deux
1 pincée de noix de muscade
2 gousses d'ail, pilées
sel et poivre du moulin
20 g de beurre
1 petit oignon, finement haché
385 g de riz à risotto
(arborio, vialone nano ou carnaroli)
170 ml de vin blanc sec
3 c. s. de crème aigre
50 g de parmesan, râpé
3 c. s. de persil plat, finement haché

1 Portez le bouillon à ébullition, réduisez le feu et maintenez un léger frémissement.

2 Préchauffez l'huile dans une casserole et faites revenir le poulet 3 à 4 minutes, à feu vif. Ajoutez les champignons et poursuivez la cuisson 1 à 2 minutes. Incorporez la noix de muscade et l'ail, salez et poivrez et laissez cuire encore 30 secondes. Retirez la préparation de la casserole.

3 Faites fondre le beurre dans la même casserole et faites revenir l'oignon 5 à 6 minutes à feu doux. Ajoutez le riz, mélangez bien, puis mouillez avec le vin. Quand le vin est absorbé, versez une louche de bouillon chaud et faites mijoter à feu moyen, en remuant constamment. Quand tout le bouillon est absorbé, versez une autre louche. Continuez à mouiller ainsi pendant 20 minutes, jusqu'à ce que le riz soit crémeux.

4 Retirez la casserole du feu et incorporez la crème aigre, le parmesan et le persil. Rectifiez l'assaisonnement et servez aussitôt.

Nouilles de la mer

Pour 4 personnes

6 champignons shiitake déshydratés
400 g de nouilles fraîches aux œufs
1 blanc d'œuf, légèrement battu
3 c. c. de farine de maïs
1 c. c. de grains de poivre du Sichuan,
concassés
250 g de poisson blanc à chair ferme,
coupé en cubes de 2 cm
200 g de crevettes crues, décortiquées
3 c. s. d'huile d'arachide
3 oignons de printemps,
émincés en biseau
2 gousses d'ail, pilées
1 c. s. de gingembre, râpé
225 g de pousses de bambou, émincées
2 c. s. de sauce aux piments
1 c. s. de sauce de soja
2 c. s. de vin de riz
185 ml de bouillon de légumes

1 Faites tremper les champignons dans 125 ml d'eau chaude pendant 20 minutes. Égouttez-les. Supprimez les pieds et émincez finement les chapeaux.

2 Faites cuire les nouilles 2 à 3 minutes dans un grand volume d'eau bouillante, jusqu'à ce qu'elles soient *al dente*. Égouttez-les.

3 Mixez le blanc d'œuf, la farine de maïs et la moitié du poivre, jusqu'à obtention d'une pâte lisse. Plongez le poisson et les crevettes dans cette pâte. Préchauffez 2 cuillerées à soupe d'huile dans un wok. Égouttez l'excès de pâte avant de faire frire les beignets en plusieurs tournées, à feu vif. Égouttez sur du papier absorbant.

4 Essuyez le wok et faites chauffer le reste d'huile. Faites revenir les oignons de printemps, l'ail, le gingembre, les pousses de bambou, les champignons et le restant de poivre 1 minute à feu vif, en remuant. Incorporez la sauce aux piments, la sauce de soja, le vin de riz, le bouillon et les nouilles. Ajoutez les beignets et mélangez rapidement sur le feu. Servez aussitôt.

Nouilles pancit canton au porc et au poulet

Pour 4 personnes

4 c. c. d'huile d'arachide
1 gros oignon, finement haché
2 gousses d'ail, finement hachées
1 morceau de gingembre, émincé
500 g de cuisses de poulet, émincées
175 g de chou chinois, ciselé
1 carotte, en julienne
200 g de porc au barbecue (voir p. 61), émincé
3 c. c. de vin de riz chinois
2 c. c. de sucre
150 g de pois gourmands (mange-tout)
375 ml de bouillon de volaille
1 c. s. de sauce de soja claire
225 g de nouilles pancit canton
1 citron, coupé en quartiers

1 Versez l'huile dans un wok préchauffé et faites sauter l'oignon 2 minutes, puis l'ail et le gingembre 1 minute. Ajoutez le poulet et faites-le revenir 2 à 3 minutes, jusqu'à ce qu'il soit doré. Incorporez le chou, la carotte, le porc, le vin de riz et le sucre et poursuivez la cuisson 3 à 4 minutes. Ajoutez les pois gourmands et laissez cuire 1 minute. Retirez la préparation du wok.

2 Versez le bouillon et la sauce de soja et portez à ébullition. Ajoutez les nouilles et laissez cuire 3 à 4 minutes en remuant.

3 Remettez le poulet, le porc et les légumes dans le wok et mélangez-les 1 minute avec les nouilles. Répartissez dans quatre assiettes de service chaudes et accompagnez de quartiers de citron.

PRATIQUE Les nouilles pancit canton sont principalement consommées aux Philippines et en Chine, où on les appelle « nouilles de longue vie » car leur longueur représente un souhait de longévité pour ceux qui les dégustent. C'est pourquoi on ne doit pas les couper. Ces nids ronds de nouilles précuites et frites sont fragiles et se cassent facilement. On les trouve dans les épiceries asiatiques.

Têtes de lion aux vermicelles chinois

Pour 4 personnes

6 champignons chinois déshydratés
100 g de vermicelles chinois
600 g de porc haché
1 blanc d'œuf
4 gousses d'ail, pilées
1 c. s. de gingembre, finement râpé
1 c. s. de farine de maïs
1 1/2 c. s. de vin de riz chinois
6 oignons de printemps, émincés
1 pincée de sel
500 ml de bouillon de volaille
2 c. s. d'huile d'arachide
60 ml de sauce de soja claire
1 c. c. de sucre
400 g de chou chinois, coupé en deux dans la longueur et détaillé en feuilles

1 Faites tremper les champignons 20 minutes dans 250 ml d'eau bouillante. Égouttez-les. Supprimez les pieds et émincez les chapeaux. Mettez les nouilles dans un récipient résistant à la chaleur, couvrez-les d'eau bouillante et laissez-les tremper 3 à 4 minutes. Égouttez et rincez. Préchauffez le four à 220 °C (Th. 7).

2 Mixez la viande hachée, le blanc d'œuf, l'ail, le gingembre, la farine de maïs, le vin de riz, deux tiers des oignons de printemps et une pincée de sel jusqu'à obtention d'une pâte lisse et homogène. Divisez la préparation en huit portions et formez de grosses boulettes.

3 Versez le bouillon dans une casserole et portez à ébullition, puis retirez la casserole du feu et réservez au chaud.

4 Versez l'huile dans un wok préchauffé et faites frire les boulettes en plusieurs fois, 2 minutes de chaque côté. Égouttez-les. Mettez-les avec les champignons, la sauce de soja et le sucre dans un plat allant au four et arrosez de bouillon chaud. Couvrez et laissez cuire 45 minutes au four. Ajoutez le chou et les nouilles et poursuivez la cuisson 10 minutes à couvert. Décorez d'oignons de printemps avant de servir.

Vermicelles de riz à la sri-lankaise

Pour 4 personnes

225 g de vermicelles de riz
4 c. s. d'huile
50 g de noix de cajou
1/2 oignon, haché
3 œufs
150 g de petits pois
10 feuilles de curry
2 carottes, râpées
2 poireaux, émincés
1 poivron rouge, en dés
2 c. s. de ketchup
1 c. s. de sauce de soja
1 c. c. de sel

1 Faites tremper les vermicelles 30 minutes dans l'eau froide, puis égouttez-les et transférez-les dans une casserole d'eau bouillante. Retirez la casserole du feu et laissez reposer 3 minutes. Égouttez-les et rafraîchissez-les sous l'eau froide.

2 Préchauffez 1 cuillerée à soupe d'huile dans une poêle et faites dorer les noix de cajou. Retirez les noix et faites rissoler l'oignon, puis égouttez-le sur du papier absorbant. Faites cuire les œufs 10 minutes dans l'eau bouillante. Rafraîchissez-les aussitôt dans l'eau froide. Écalez-les quand ils sont froids et coupez-les en quartiers. Faites cuire les petits pois à l'eau bouillante.

3 Faites chauffer le reste d'huile dans une poêle et faites revenir rapidement les feuilles de curry. Ajoutez la carotte, le poireau et le poivron et remuez 1 minute. Versez le ketchup, la sauce de soja, le sel et les vermicelles. Remuez vivement pour éviter que les vermicelles n'attachent au fond de la poêle. Présentez les vermicelles sur un plat de service et garnissez de petits pois, de noix de cajou, d'oignon frit et de quartiers d'œuf.

Bouillon au tofu frit, aux nouilles et aux champignons

Pour 4 personnes

8 champignons shiitake déshydratés
500 g de nouilles de riz fraîches, rondes
3 l de bouillon de volaille
1 carotte, émincée en biseau
100 g de beignets de tofu frits,
coupés en deux
800 g de chou chinois,
coupé en quartiers
2 c. s. de sauce de soja
aux champignons
6 gouttes d'huile de sésame
poivre blanc du moulin
100 g de champignons enoki

1 Placez les champignons shiitake dans un saladier résistant à la chaleur, couvrez-les d'eau bouillante et laissez-les tremper 20 minutes. Égouttez-les, supprimez les pieds et pressez les têtes pour en extraire toute l'eau.

2 Pendant ce temps, mettez les nouilles dans un récipient résistant à la chaleur, couvrez-les d'eau bouillante et laissez-les tremper quelques minutes. Séparez-les nouilles à la main et égouttez-les.

3 Versez le bouillon dans une casserole, couvrez et laissez chauffer lentement à feu doux.

4 Ajoutez les nouilles dans le bouillon frémissant, avec la carotte, le tofu, les champignons shiitake et le chou. Laissez mijoter 1 à 2 minutes. Incorporez la sauce de soja et l'huile de sésame. Poivrez.

5 Répartissez les nouilles, les légumes, le tofu et les champignons enoki dans les bols de service, arrosez de bouillon et servez aussitôt.

Soupe de vermicelles au porc et au chou chinois

Pour 4 personnes

70 g de vermicelles chinois
250 g de chou chinois
1 l de bouillon de volaille
1 morceau de gingembre, émincé
350 g de porc au barbecue (voir p. 61)
2 oignons de printemps,
émincés en biseau
2 c. s. de sauce de soja claire
1 c. s. de vin de riz chinois
1/2 c. c. d'huile de sésame

1 Faites tremper les nouilles 3 à 4 minutes dans l'eau bouillante. Égouttez-les, rincez-les et égouttez-les à nouveau.

2 Effeuillez le chou et séparez au couteau les côtes et la partie feuillue. Coupez le tout en carrés de 2 à 3 cm.

3 Versez le bouillon et les lamelles de gingembre dans une cocotte et portez à ébullition. Ajoutez les côtes du chou et laissez cuire 2 minutes, puis incorporez les feuilles. Laissez cuire 1 minute, puis réduisez le feu. Ajoutez les nouilles et laissez mijoter 4 à 5 minutes à couvert, en remuant de temps en temps.

4 Coupez le porc en cubes de 2 cm et incorporez-le dans la cocotte avec les oignons de printemps, la sauce de soja, le vin de riz et l'huile de sésame. Mélangez bien et laissez cuire 3 à 4 minutes à couvert. Servez aussitôt.

ASTUCE Vous pouvez retirer la peau du porc au barbecue et la faire griller 1 minute à sec, jusqu'à ce qu'elle soit très croustillante. Garnissez-en le bouillon au dernier moment.

Risotto aux champignons

Pour 4 personnes

30 g de cèpes déshydratés
1 l de bouillon de volaille
100 g de beurre
1 oignon, finement haché
250 g de champignons de Paris, émincés
2 gousses d'ail, pilées
385 g de riz pour risotto (arborio, vialone nano ou carnaroli)
sel et poivre du moulin
1 pincée de noix de muscade en poudre
1 c. s. de persil, finement haché
45 g de parmesan, râpé

1 Faites tremper les cèpes dans 500 ml d'eau chaude et laissez reposer 15 minutes. Égouttez-les et pressez-les pour en extraire toute l'eau ; réservez celle-ci. Filtrez l'eau de trempage des cèpes et ajoutez du bouillon pour obtenir 1 litre de liquide. Faites chauffer à feu moyen et laissez frémir.

2 Faites fondre le beurre dans une sauteuse à fond épais et faites revenir l'oignon à feu doux sans qu'il se colore. Ajoutez les champignons de Paris et les cèpes et faites-les revenir quelques minutes. Incorporez l'ail, remuez, puis ajoutez le riz. Salez et poivrez. Remuez bien.

3 Versez une louche de bouillon et faites cuire le riz à feu moyen en remuant constamment. Quand le bouillon est absorbé, versez une autre louche de bouillon. Continuez à mouiller ainsi pendant environ 20 minutes, jusqu'à ce que le riz soit crémeux. Ajoutez un peu de bouillon si nécessaire.

4 Incorporez la noix de muscade, le persil et la moitié du parmesan, puis mélangez bien. Saupoudrez avec le reste du parmesan et servez aussitôt.

Nouilles udon au bœuf

Pour 4 personnes

300 g de filet de bœuf, dégraissé
1,5 l de bouillon de volaille
1 morceau de gingembre, émincé
80 ml de sauce de soja claire
2 c. s. de mirin (vin de riz doux)
1 c. c. d'huile de sésame
200 g de nouilles udon fraîches
150 g de pousses d'épinards,
équeutées et émincées
400 g de chou chinois, sans les côtes
100 g de champignons shiitake frais,
équeutés et émincés
200 g de tofu ferme, en cubes de 2 cm
80 ml de sauce ponzu ou 60 ml
de sauce de soja additionnée d'1 c. s.
de jus de citron

1 Enveloppez le filet de bœuf de film alimentaire et congelez-le 40 minutes. Sortez-le et émincez-le le plus finement possible, à contresens des fibres.

2 Versez le bouillon, le gingembre, la sauce de soja, le mirin et l'huile de sésame dans une cocotte et faites frémir 3 minutes à feu doux. Ajoutez les nouilles, remuez délicatement avec des baguettes pour les séparer et laissez cuire 1 à 2 minutes. Incorporez les épinards, le chou, les champignons et le tofu et laissez frémir 1 minute.

3 Répartissez les nouilles dans les bols de service, puis garnissez-les de lamelles de bœuf crues, de légumes et de tofu. Arrosez d'une louche de bouillon chaud et servez la sauce ponzu à part.

PRATIQUE Traditionnellement, les lamelles de bœuf crues sont présentées sur un plat, avec le tofu, les champignons, les légumes et les nouilles. Le bouillon et son assaisonnement sont maintenus au chaud sur un réchaud à gaz placé au centre de la table. Les convives plongent la viande et les légumes dans le bouillon chaud, les trempent ensuite dans la sauce et mangent au fur et à mesure. On sert les nouilles à la fin avec le bouillon.

Nouilles sautées à l'indonésienne

Pour 4 personnes

**400 g de nouilles fraîches aux œufs
2 c. s. d'huile d'arachide
4 échalotes, hachées
2 gousses d'ail, pilées
1 petit piment rouge, en très petits dés
200 g de filet de porc, émincé
200 g de blancs de poulet, émincés
200 g de petites crevettes crues, décortiquées
2 feuilles de chou chinois, ciselées
2 carottes, coupées en deux et émincées
100 g de haricots verts
60 ml de ketjap manis
1 c. s. de sauce de soja claire
2 tomates, pelées, épépinées et hachées
4 oignons de printemps, émincés en biseau
sel et poivre noir du moulin
1 c. s. d'oignons frits
persil plat**

1 Faites cuire les nouilles 1 minute dans une casserole d'eau bouillante. Égouttez-les et rincez-les sous l'eau froide.

2 Versez l'huile dans un wok préchauffé et faites revenir l'échalote 30 secondes. Ajoutez l'ail, le piment et le porc et laissez cuire 2 minutes à feu vif, en remuant, puis incorporez le poulet et poursuivez la cuisson encore 2 minutes.

3 Quand le poulet est bien doré, ajoutez les crevettes et faites sauter 2 minutes. Incorporez le chou, la carotte et les haricots et laissez cuire 3 minutes, puis ajoutez les nouilles et faites revenir à feu doux 4 minutes, en remuant délicatement le mélange pour éviter que les nouilles ne se cassent. Versez le ketjap manis et la sauce de soja, ajoutez les tomates et les oignons de printemps. Laissez cuire 1 à 2 minutes.

4 Salez et poivrez. Décorez d'oignons frits et de persil. Servez aussitôt.

PRATIQUE Ce plat, appelé *bahmi goreng* en Indonésie, se déguste traditionnellement avec des cacahuètes grillées concassées et du sambal oelek.

Riz pulao aux oignons et aux épices

Pour 4 personnes

**200 g de riz basmati
500 ml de bouillon de volaille
6 c. s. de ghee (beurre clarifié)
ou d'huile
5 gousses de cardamome
1 bâton de cannelle de 5 cm
6 clous de girofle
8 grains de poivre noir
sel
1 oignon, émincé**

1 Passez le riz sous l'eau froide jusqu'à ce que l'eau de rinçage soit claire. Égouttez.

2 Faites chauffer le bouillon dans une casserole jusqu'au point d'ébullition.

3 Pendant ce temps, faites chauffer 2 cuillerées à soupe de ghee dans une casserole à fond épais, à feu moyen. Ajoutez la cardamome, la cannelle, les clous de girofle et les grains de poivre et faites sauter 1 minute. Réduisez le feu, ajoutez le riz et remuez constamment pendant 1 minute. Versez le bouillon, salez et portez à ébullition. Couvrez et laissez frémir 15 minutes à feu doux. Laissez reposer 10 minutes avant de retirer le couvercle. Aérez légèrement le riz avant de servir.

4 Pendant ce temps, faites chauffer le reste du ghee dans une poêle et faites fondre l'oignon. Augmentez le feu et faites frire l'oignon jusqu'à ce qu'il soit très brun. Égouttez-le sur du papier absorbant et garnissez-en le pulao. Servez avec un curry ou un ragoût.

Poulet sauce ponzu aux nouilles somen

Pour 4 personnes

Sauce ponzu
1 c. s. de jus de citron
1 c. s. de jus de citron vert
1 c. s. de vinaigre de riz
1 c. s. de pâte de tamarin
1 1/2 c. s. de mirin (vin de riz doux)
2 1/2 c. s. de sauce de soja japonaise
1 ruban de kombu (algue séchée)
de 5 cm, réhydratée dans un linge humide
1 c. s. de copeaux de bonite séchée
(katsuobushi)

900 g de cuisses de poulet, dégraissées
et coupées en deux
1 ruban de kombu de 10 cm
200 g de nouilles somen sèches
(nouilles de blé à l'huile de sésame)
250 g de champignons shiitake
1 carotte, émincée
300 g de pousses d'épinards

1 Pour la sauce, mélangez tous les ingrédients dans un saladier. Couvrez de film alimentaire et laissez reposer toute une nuit au réfrigérateur, puis passez au tamis fin.

2 Mettez le poulet et le kombu dans une casserole avec 875 ml d'eau. Laissez frémir 20 minutes, en écumant régulièrement, jusqu'à ce que le poulet soit cuit. Retirez le poulet de la casserole et passez le bouillon. Transvasez le bouillon et le poulet dans une cocotte. Couvrez et poursuivez la cuisson 15 minutes à feu doux.

3 Pendant ce temps, faites cuire les nouilles 2 minutes dans l'eau bouillante. Égouttez-les et rincez-les sous l'eau froide.

4 Ajoutez les champignons et la carotte dans la cocotte et poursuivez la cuisson 5 minutes. Incorporez enfin les nouilles, puis les épinards, sans mélanger. Couvrez et laissez cuire 2 minutes. Versez 4 à 6 cuillerées de sauce ponzu et servez.

PRATIQUE Ce plat est traditionnellement servi dans un nabe (marmite japonaise) en céramique et chaque invité se sert à sa convenance.

Vermicelles craquants au poulet

Pour 4 à 6 personnes

4 champignons chinois déshydratés
huile de friture
100 g de vermicelles de riz secs
100 g de tofu frit, coupé en allumettes
4 gousses d'ail, pilées
1 oignon, haché
1 blanc de poulet, émincé
8 haricots verts, émincés en biseau
6 oignons de printemps,
émincés en biseau
8 crevettes crues, décortiquées
30 g de germes de soja
feuilles de coriandre

Sauce
1 c. s. de sauce de soja
3 c. s. de vinaigre blanc
5 c. s. de sucre
3 c. s. de nuoc-mâm
1 c. s. de sauce aux piments douce

1 Faites tremper les champignons 20 minutes dans l'eau bouillante. Égouttez-les, supprimez les pieds et émincez-les finement.

2 Versez de l'huile dans un wok jusqu'au tiers de sa hauteur et faites-la chauffer à 180 °C. Faites frire les vermicelles 5 secondes, en plusieurs fois, jusqu'à ce qu'ils soient croustillants. Réservez. Ajoutez le tofu dans le wok et faites-le frire 1 minute. Égouttez-le sur du papier absorbant. Videz l'huile en gardant la valeur de 2 cuillerées à soupe.

3 Réchauffez l'huile à feu vif et faites sauter l'ail et l'oignon 1 minute. Ajoutez le poulet, les champignons, les haricots et la moitié des oignons de printemps. Laissez cuire 2 minutes avant d'incorporer les crevettes. Prolongez la cuisson encore 2 minutes, jusqu'à ce que les crevettes deviennent roses.

4 Mélangez tous les ingrédients de la sauce et versez le mélange dans le wok. Faites sauter 2 minutes, jusqu'à épaississement.

5 Retirez le wok du feu et incorporez les vermicelles, le tofu et les germes de soja. Décorez de coriandre et des oignons de printemps restants.

Risotto aux petits pois

Pour 4 personnes

20 g de cèpes déshydratés
1 l de bouillon de légumes
2 c. s. d'huile d'olive
1 c. s. de beurre
1 petit oignon, finement haché
2 gousses d'ail, pilées
385 g de riz à risotto
(arborio, vialone nano ou carnaroli)
sel et poivre du moulin
250 g de champignons, émincés
1 pincée de noix de muscade
40 g de parmesan râpé
3 c. s. de persil plat, finement haché

1 Faites tremper les cèpes 30 minutes dans 500 ml d'eau bouillante. Égouttez et réservez l'eau. Hachez les cèpes et passez le jus au tamis fin. Versez le bouillon dans une casserole, portez à ébullition, puis maintenez un léger frémissement.

2 Faites chauffer l'huile et le beurre dans une sauteuse à fond épais et faites fondre l'oignon et l'ail. Ajoutez le riz et baissez le feu. Salez et poivrez, puis mélangez bien. Incorporez les champignons frais et la noix de muscade. Rectifiez l'assaisonnement et laissez cuire 1 à 2 minutes, sans cesser de remuer. Ajoutez les cèpes avec leur eau de trempage, augmentez le feu et continuez la cuisson jusqu'à ce que tout le liquide soit absorbé.

3 Mouillez avec une louche de bouillon et faites cuire à feu moyen, en remuant constamment. Quand le bouillon est absorbé, recommencez l'opération. Continuez à mouiller ainsi environ 20 minutes, jusqu'à ce que le riz soit crémeux. Retirez la casserole du feu et incorporez le parmesan et le persil. Rectifiez l'assaisonnement et servez aussitôt.

Bœuf teriyaki aux nouilles croustillantes

Pour 4 personnes

450 g d'aloyau, coupé en fines lamelles
125 ml de marinade teriyaki
huile végétale, pour la friture
100 g de vermicelles de riz secs
2 c. s. d'huile d'arachide
1 oignon, émincé
3 gousses d'ail, pilées
1 piment rouge, épépiné
et finement haché
200 g de carottes, en julienne
600 g de chou chinois,
coupé en tronçons de 3 cm
1 c. s. de jus de citron vert

1 Mélangez le bœuf et la marinade dans un récipient et laissez macérer 2 heures.

2 Versez de l'huile dans un wok jusqu'au tiers de sa hauteur et faites-la chauffer à 190 °C. Séparez les vermicelles en petits paquets et faites-les sauter jusqu'à ce qu'ils croustillent. Égouttez sur du papier absorbant. Laissez refroidir l'huile dans un récipient, puis jetez-la.

3 Faites chauffer à feu très vif 1 cuillerée à soupe d'huile d'arachide dans le wok et faites sauter le bœuf 1 minute de chaque côté. Réservez. Faites chauffer le reste d'huile et faites revenir l'oignon 3 à 4 minutes, puis l'ail et le piment quelques secondes. Ajoutez la carotte et le chou et laissez cuire 3 à 4 minutes à feu vif.

4 Remettez le bœuf dans le wok avec le jus de citron et la marinade. Laissez cuire 3 minutes à feu vif, puis ajoutez les vermicelles. Remuez délicatement et servez aussitôt.

Risotto aux asperges

Pour 4 personnes

1 kg d'asperges vertes
500 ml de bouillon de volaille
500 ml de bouillon de légumes
4 c. s. d'huile d'olive
1 petit oignon, finement haché
360 g de riz à risotto
(arborio, vialone nano ou carnaroli)
sel et poivre du moulin
70 g de parmesan, râpé
3 c. s. de crème fraîche épaisse

1 Lavez les asperges et retirez les extrémités fibreuses. Séparez les pointes tendres des queues.

2 Faites cuire les queues d'asperges 8 minutes dans l'eau bouillante. Égouttez-les et mixez-les avec le bouillon de légumes et le bouillon de volaille, puis transvasez le tout dans une grande casserole. Portez à ébullition et maintenez un léger frémissement.

3 Faites cuire les pointes d'asperges 1 minute dans l'eau bouillante, égouttez-les et plongez-les aussitôt dans l'eau glacée pour stopper la cuisson.

4 Faites chauffer l'huile dans une sauteuse à fond épais et faites fondre l'oignon. Ajoutez le riz, salez et poivrez, puis baissez le feu. Mouillez avec une louche de bouillon et faites cuire à feu moyen, en remuant constamment. Quand tout le bouillon est absorbé, recommencez l'opération. Continuez de mouiller ainsi pendant environ 20 minutes, jusqu'à ce que le riz soit crémeux. Ajoutez le parmesan et la crème, puis incorporez délicatement les pointes d'asperges. Rectifiez l'assaisonnement et servez aussitôt.

Nouilles au tofu et au porc

Pour 4 personnes

450 g de tofu ferme,
coupé en cubes de 2 cm
375 g de nouilles hokkien
2 c. c. de farine de maïs
1 c. s. d'huile d'arachide
2 c. c. de gingembre, finement haché
2 oignons de printemps,
émincés en biseau
225 g de porc haché
1 1/2 c. s. de haricots noirs salés, rincés
et grossièrement hachés
1 c. s. de purée de piment
1 c. s. de sauce de soja brune
125 ml de bouillon de volaille
1 c. s. de vin de riz chinois
2 gousses d'ail, pilées
poivre blanc du moulin, à volonté
2 tiges d'oignons de printemps, émincées
1/2 c. c. d'huile de sésame

1 Épongez le tofu avec du papier absorbant pour éliminer toute l'humidité.

2 Placez les nouilles dans un récipient résistant à la chaleur, couvrez-les d'eau bouillante et laissez-les tremper 1 minute. Égouttez bien, rincez à l'eau froide et égouttez à nouveau. Répartissez-les dans les bols de service. Délayez la farine avec 1 cuillerée d'eau dans un petit récipient.

3 Faites chauffer l'huile dans un wok et faites revenir le gingembre et les oignons de printemps 30 secondes, puis ajoutez le porc. Faites-le cuire 2 minutes avant d'incorporer les haricots noirs, la purée de piment et la sauce de soja. Laissez cuire 1 minute à feu vif, puis versez le bouillon et le vin de riz. Ajoutez le tofu et réchauffez le tout.

4 Incorporez la farine délayée et l'ail et poursuivez la cuisson 1 minute, jusqu'à épaississement. Versez la sauce sur les nouilles et poivrez. Décorez avec le vert des oignons de printemps et arrosez d'un filet d'huile de sésame.

PRATIQUE Les haricots noirs salés sont des haricots de soja noirs fermentés dans du sel. Rincez-les avant utilisation. On les trouve en conserve, en bocal ou en sachets, dans les épiceries asiatiques.

Nouilles soba aux aubergines

Pour 4 à 6 personnes

10 g de champignons shiitake
déshydratés
350 g de nouilles soba
(nouilles de sarrasin)
2 c. c. d'huile de sésame
3 c. s. de tahini (pâte de sésame)
1 c. s. sauce de soja claire
1 c. s. sauce de soja brune
1 c. s. de miel
2 c. s. de jus de citron
3 c. s. d'huile d'arachide
2 aubergines, coupées en lanières
2 carottes, en julienne
10 oignons de printemps,
émincés en biseau
6 champignons shiitake frais, émincés
50 g de feuilles de coriandre,
grossièrement hachées

1 Faites tremper les champignons
10 minutes dans 125 ml d'eau chaude.
Égouttez, réservez l'eau. Retirez les pieds
et émincez les chapeaux.

2 Faites cuire les nouilles 5 minutes
dans l'eau bouillante. Rafraîchissez-
les sous l'eau froide, égouttez-les puis
arrosez-les d'une cuillerée d'huile de
sésame et remuez.

3 Mixez le tahini, les sauces de soja, le
miel, le jus de citron, 2 cuillerées à soupe
de l'eau de trempage des champignons
et le reste d'huile de sésame, jusqu'à
obtention d'une sauce lisse.

4 Faites chauffer 2 cuillerées à soupe
d'huile d'arachide à feu vif et faites revenir les aubergines 4 à 5 minutes, en les
retournant régulièrement, jusqu'à ce
qu'elles soient dorées. Égouttez-les sur
du papier absorbant.

5 Faites chauffer le reste d'huile d'arachide et faites cuire 2 minutes la carotte,
les oignons de printemps et les champignons, en remuant constamment. Quand
ils sont juste tendres, coupez le feu,
incorporez les nouilles, les aubergines et
la sauce au tahini. Décorez de feuilles de
coriandre et servez aussitôt.

Les plats classiques

Hachis Parmentier

Pour 6 personnes

60 ml d'huile d'olive
1 gros oignon, finement haché
2 gousses d'ail, pilées
2 branches de céleri, finement hachées
3 carottes, coupées en dés
2 feuilles de laurier
1 c. s. de thym, haché
1 kg d'agneau, haché
1 c. s. de farine
125 ml de vin rouge
2 c. s. de concentré de tomates
400 g de tomates concassées
en conserve
1,5 kg de pommes de terre farineuses,
coupées en gros cubes
sel et poivre du moulin
60 ml de lait
100 g de beurre
1/2 c. c. de noix de muscade en poudre

1 Faites chauffer 2 cuillerées à soupe d'huile dans une casserole à fond épais et faites fondre l'oignon 3 à 4 minutes. Ajoutez l'ail, le céleri, la carotte, les feuilles de laurier et le thym. Laissez cuire 2 à 3 minutes, puis transvasez le mélange dans un récipient. Retirez le laurier.

2 Versez le reste d'huile dans la casserole, ajoutez l'agneau et faites-le revenir 5 à 6 minutes à feu vif. Incorporez la farine en remuant bien, laissez cuire 1 minute, versez le vin rouge et poursuivez la cuisson 2 à 3 minutes. Remettez les légumes dans la casserole avec le concentré de tomates et la tomate. Baissez le feu, couvrez et laissez frémir 45 minutes. Salez et poivrez, puis transvasez le mélange dans un plat allant au four. Préchauffez le four à 180 °C (Th. 4).

3 Pendant ce temps, faites cuire les pommes de terre 20 à 25 minutes à l'eau ou à la vapeur. Quand elles sont tendres, égouttez-les, puis écrasez-les en purée, en incorporant le lait et le beurre petit à petit. Assaisonnez de noix de muscade et de poivre noir. Étalez la purée sur la viande hachée. Faites cuire 30 minutes au four, jusqu'à ce que le hachis soit doré et croustillant.

Saucisses aux lentilles

Pour 4 personnes

3 c. s. d'huile d'olive
850 g de saucisses de porc
1 oignon, haché
3 gousses d'ail, émincées
1 c. s. de romarin, haché
800 g de tomates concassées
en conserve
16 baies de genièvre, concassées
1 pincée de noix de muscade
1 feuille de laurier
1 piment séché, pilé
185 ml de vin rouge
100 g de lentilles vertes

1 Préchauffez l'huile dans une casserole et faites dorer les saucisses 5 minutes. Retirez-les de la casserole et réduisez le feu. Mettez l'ail et l'oignon dans la casserole et laissez cuire à feu doux, jusqu'à ce que l'oignon soit tendre.

2 Ajoutez le romarin, puis la tomate, et laissez mijoter à feu doux jusqu'à épaississement. Incorporez les baies de genièvre, la noix de muscade, le laurier, le piment, le vin et 450 ml d'eau. Portez à ébullition, puis ajoutez les lentilles et les saucisses. Remuez bien, couvrez et laissez frémir environ 40 minutes, jusqu'à ce que les lentilles soient cuites. Remuez à deux ou trois reprises pour éviter que la préparation n'attache. Au besoin, mouillez légèrement pour terminer la cuisson.

LES PLATS CLASSIQUES

Petits pâtés
de Cornouailles

Pour 6 personnes

310 g de farine
125 g de beurre très froid,
détaillé en copeaux
150 g de bœuf, finement haché
1 petite pomme de terre,
finement hachée
1 petit oignon, finement haché
1 petite carotte, finement hachée
1 à 2 c. s. de sauce Worcestershire
sel et poivre du moulin
2 c. s. de bouillon de bœuf
1 œuf, légèrement battu

1 Graissez une plaque de cuisson.
Mixez la farine, le beurre et 1 pincée de
sel pendant 15 secondes, jusqu'à obtention d'une pâte friable. Ajoutez 4 à 5
cuillerées d'eau et mixez à nouveau, par
brèves impulsions, jusqu'à ce que le
mélange s'amalgame. Ajoutez un peu
d'eau au besoin. Roulez la pâte sur une
surface farinée pour former une boule,
puis enveloppez cette dernière de film
alimentaire et mettez-la 30 minutes
au réfrigérateur. Préchauffez le four à
210 °C (Th. 7).

2 Mélangez la viande, la pomme de terre,
l'oignon, la carotte, la sauce Worcestershire et le bouillon. Salez et poivrez
généreusement.

3 Divisez la pâte en six et étendez
chaque portion au rouleau sur 3 mm
d'épaisseur. Découpez un disque de
16 cm de diamètre dans chaque feuille
et garnissez-le de farce aux légumes et
à la viande.

4 Badigeonnez les bords d'œuf battu
et rabattez la pâte pour former des
chaussons en demi-cercle. Pincez les
bords et disposez les pâtés sur la plaque.
Badigeonnez-les du reste d'œuf battu et
faites cuire 10 minutes au four. Baissez la
température à 180 °C (Th. 4) et poursuivez la cuisson 20 à 25 minutes, jusqu'à
ce que les pâtés soient dorés.

Gratin de légumes

Pour 6 personnes

**4 grosses pommes de terre,
coupées en deux
600 g de patates douces,
coupées en deux
20 g de beurre
1 c. s. d'huile d'olive
2 gros poireaux, émincés
3 gousses d'ail, pilées
6 courgettes, émincées en biseau
300 ml de crème fraîche
130 g de parmesan, râpé
1 c. s. de thym, finement haché
1 c. s. de persil plat, haché
sel et poivre du moulin
130 g de cheddar, râpé**

1 Préchauffez le four à 180 °C (Th. 4) et graissez un grand plat allant au four. Faites cuire les pommes de terre et les patates douces 10 minutes dans l'eau bouillante.

2 Pendant ce temps, faites chauffer le beurre et l'huile dans une poêle et faites fondre le poireau 4 à 5 minutes à feu doux. Ajoutez 1 gousse d'ail et les courgettes et laissez cuire 3 à 4 minutes. Mélangez dans un récipient la crème fraîche, le parmesan, le thym, le persil et le reste d'ail. Salez et poivrez.

3 Quand les pommes de terre et les patates douces ont refroidi, épluchez-les et coupez-les en fines tranches. Disposez la moitié des tranches de pomme de terre au fond du plat. Salez et poivrez. Nappez d'un quart de l'appareil à la crème, puis étalez le mélange courgettes-poireaux. Égalisez et tassez. Nappez de crème. Disposez les patates douces en une seule couche et recouvrez de crème. Étalez le reste des pommes de terre et terminez par une couche de crème. Salez et poivrez. Parsemez de cheddar.

4 Faites cuire 1 h 15 au four. Au besoin, recouvrez le gratin d'une feuille de papier d'aluminium en fin de cuisson, quand le fromage est bien doré, pour éviter qu'il ne brûle. Laissez reposer 10 minutes avant de découper le gratin.

Côtes de veau à la parmesane

Pour 4 personnes

60 ml d'huile d'olive
1 gousse d'ail, pilée
1 pincée de piment de Cayenne
1 pincée de sucre semoule
400 g de tomates concassées
en conserve
3 c. s. d'origan, haché
sel et poivre du moulin
40 g de farine
2 œufs
65 g de chapelure fine
4 côtes de veau, dégraissées
100 g de mozzarella, émincée
35 g de parmesan, râpé

1 Préchauffez le four à 190 °C (Th. 5). Faites chauffer 1 cuillerée à soupe d'huile dans une casserole et faites cuire l'ail 30 secondes. Ajoutez le piment, le sucre, les tomates et la moitié de l'origan. Laissez mijoter 20 minutes, jusqu'à épaississement. Salez et poivrez généreusement. Mettez la farine dans un récipient, salez et poivrez. Dans un autre récipient, battez les œufs avec 2 cuillerées à soupe d'eau. Mélangez la chapelure et le reste d'origan dans un troisième récipient.

2 Aplatissez les côtes de veau à 5 mm d'épaisseur, entre deux films alimentaires. Farinez-les et secouez-les pour éliminer la farine en excès, puis trempez-les successivement dans l'œuf et dans la chapelure. Faites chauffer le reste d'huile dans une poêle et faites dorer les côtes à feu moyen, 2 minutes de chaque côté. Étalez-les en une seule couche dans un plat allant au four.

3 Nappez de sauce les côtes de veau. Recouvrez-les de mozzarella et saupoudrez de parmesan. Faites cuire 20 minutes au four. Servez aussitôt.

Tagine d'agneau

Pour 6 à 8 personnes

1,5 kg d'épaule d'agneau,
en cubes de 2,5 cm
3 gousses d'ail, pilées
80 ml d'huile d'olive
2 c. c. de cumin en poudre
1 c. c. de gingembre en poudre
1 c. c. de curcuma en poudre
1 c. c. de paprika
1/2 c. c. de cannelle, en poudre
1/2 c. c. de poivre noir moulu
1 c. c. de sel
2 oignons, émincés
580 ml de bouillon de bœuf
le zeste d'1/4 de citron confit, rincé
et coupé en fines lamelles
425 g de pois chiches en conserve,
égouttés
35 g d'olives vertes, concassées
3 c. s. de feuilles de coriandre, hachées

1 Mettez l'agneau dans un grand récipient en verre. Ajoutez l'ail, 2 cuillerées à soupe d'huile, le cumin, le gingembre, le curcuma, le paprika, la cannelle, le poivre noir et le sel. Mélangez bien et laissez reposer 1 heure.

2 Faites chauffer le reste d'huile dans une cocotte et faites revenir la viande 2 à 3 minutes à feu doux. Réservez. Faites cuire l'oignon 2 minutes, remettez la viande dans la casserole et versez le bouillon. Baissez le feu, couvrez et laissez mijoter 1 heure. Incorporez le zeste de citron, les pois chiches et les olives, et laissez cuire 30 minutes à découvert. Parsemez de coriandre. Servez le tagine avec de la semoule.

ASTUCE Vous pouvez aussi faire cuire l'agneau au four. Après l'avoir fait revenir dans une sauteuse, mettez-le dans un plat en terre muni d'un couvercle ou dans un plat à tagine. Préchauffez le four à 190 °C (Th. 5) et faites cuire le tagine 1 heure. Ajoutez le zeste de citron, les pois chiches et les olives au bout de 40 minutes de cuisson.

Tourte au poulet et au maïs

Pour 6 personnes

1 c. s. d'huile d'olive
650 g de cuisses de poulet, dégraissées et coupées en dés de 1 cm
1 c. s. de gingembre, râpé
400 g de pleurotes, coupés en deux
3 épis de maïs, égrenés
125 ml de bouillon de volaille
2 c. s. de ketjap manis
2 c. s. farine de maïs
30 g de feuilles de coriandre, hachées
6 rouleaux de pâte brisée prête à l'emploi

1 Graissez 6 moules à tarte en métal d'un diamètre de 9,5 cm. Préchauffez l'huile dans une grande poêle à feu vif et faites dorer le poulet 5 minutes. Ajoutez le gingembre, les champignons et les grains de maïs et continuez la cuisson 5 à 6 minutes. Versez le bouillon et le ketjap manis.

2 Délayez la farine avec 2 cuillerées d'eau dans un bol, puis incorporez le mélange à la farce. Faites bouillir 2 minutes avant d'ajouter la coriandre. Transférez le tout dans un récipient, laissez refroidir, puis mettez 2 heures au réfrigérateur.

3 Préchauffez le four à 180 °C (Th. 4). Découpez six disques de pâte de la taille des moules et tapissez-en ces derniers. Répartissez la farce sur la pâte, puis découpez six autres disques de pâte pour former les couvercles. Posez ces derniers sur la farce, recoupez les bords et soudez-les à la fourchette. Décorez les tourtes de motifs découpés dans les chutes de pâte. Faites quelques trous dans les couvercles, badigeonnez de lait et faites cuire 35 minutes au four, jusqu'à ce que les tourtes soient dorées.

Ratatouille

Pour 4 personnes

4 tomates
2 c. s. d'huile d'olive
1 gros oignon, coupé en dés
1 poivron rouge, coupé en dés
1 poivron jaune, coupé en dés
1 aubergine, coupée en dés
2 courgettes, coupées en dés
1 c. c. de concentré de tomates
1/2 c. c. de sucre
1 feuille de laurier
3 brins de thym
2 brins de basilic
sel et poivre du moulin
1 gousse d'ail, pilée
1 c. s. de persil, haché

1 Pratiquez une incision au sommet de chaque tomate, plongez-les 20 secondes dans l'eau bouillante et pelez-les en partant de l'incision. Hachez-les grossièrement.

2 Faites chauffer l'huile dans une poêle et faites fondre l'oignon 5 minutes à feu doux. Ajoutez les poivrons et laissez mijoter 4 minutes, en remuant. Réservez.

3 Faites dorer les dés d'aubergine de toutes parts et retirez-les de la poêle. Procédez de même avec les courgettes, puis remettez l'oignon, les poivrons et les aubergines dans la poêle. Versez le concentré de tomates en remuant bien et laissez cuire 2 minutes. Ajoutez les tomates, le sucre, la feuille de laurier, le thym et le basilic, puis remuez. Salez et poivrez. Couvrez et laissez mijoter 15 minutes. Retirez la feuille de laurier, le thym et le basilic.

4 Mélangez l'ail et le persil et incorporez-les à la ratatouille au dernier moment. Remuez et servez aussitôt.

Tourte à l'agneau

Pour 4 personnes

750 g d'épaule d'agneau, désossée et coupée en cubes
90 g de farine, salée et poivrée
2 c. s. d'huile d'olive
200 g de bacon, finement haché
2 gousses d'ail, pilées
4 gros poireaux, émincés
1 grosse carotte, hachée
2 grosses pommes de terre, coupées en dés de 1 cm
315 ml de bouillon de bœuf
1 feuille de laurier
sel et poivre du moulin
2 c. c. de persil plat, haché
375 g de pâte feuilletée
1 œuf, légèrement battu

1 Farinez la viande et secouez pour éliminer l'excédent de farine. Préchauffez l'huile dans une sauteuse et faites revenir la viande en plusieurs fois jusqu'à ce qu'elle se colore. Réservez. Faites cuire le bacon 3 minutes. Ajoutez l'ail et le poireau et continuez la cuisson pendant 3 minutes, jusqu'à ce que le poireau soit tendre.

2 Mélangez dans une cocotte la viande, le bacon, le poireau et l'ail. Ajoutez la carotte, la pomme de terre, le bouillon et la feuille de laurier. Portez à ébullition. Baissez le feu, couvrez et laissez mijoter 30 minutes. Retirez le couvercle et prolongez la cuisson pendant 1 heure, jusqu'à épaississement du liquide de cuisson. Salez et poivrez. Retirez la feuille de laurier, incorporez le persil et laissez refroidir.

3 Préchauffez le four à 200 °C (Th. 6). Garnissez de viande quatre moules à tourte. Étalez la pâte feuilleté, puis découpez quatre disques d'une taille légèrement supérieure à celle des moules. Étalez les disques sur la viande. Coupez les bords et pressez-les pour les souder. Pratiquez deux incisions pour permettre à la vapeur de s'échapper. Badigeonnez d'œuf et enfournez 45 minutes, jusqu'à ce que la pâte soit dorée et croustillante.

Bœuf bourguignon

Pour 4 personnes

1 kg de bœuf, coupé en dés
30 g de farine, salée et poivrée
1 c. s. d'huile
150 g de bacon, coupé en dés
8 bulbes d'oignons de printemps,
coupés en quartiers
200 g de champignons de Paris
500 ml de vin rouge
2 c. s. de concentré de tomates
500 ml de bouillon de bœuf
bouquet garni

1 Farinez la viande et secouez-la pour éliminer l'excédent. Faites chauffer l'huile dans une casserole et faites dorer le bœuf 3 minutes de toutes parts. Retirez la viande de la casserole.

2 Faites dorer le bacon 2 minutes. Sortez-le avec une écumoire et joignez-le au bœuf. Dans la même casserole, faites revenir les oignons de printemps et les champignons pendant 5 minutes. Réservez.

3 Versez doucement le vin dans la casserole et grattez les sucs avec une cuiller en bois. Incorporez le concentré de tomates et le bouillon. Ajoutez le bouquet garni, le bœuf et le bacon. Portez à ébullition, puis réduisez le feu et laissez mijoter 45 minutes. Incorporez les oignons de printemps et les champignons et laissez cuire encore 1 heure. Servez le bourguignon avec des pommes vapeur ou de la purée.

ASTUCE Pour cette recette, vous pouvez mettre dans votre bouquet garni du laurier, du thym, du persil, des feuilles de céleri et des feuilles de poireau.

Gratin de bœuf à la bière

Pour 6 personnes

2 c. s. d'huile d'olive
1,25 kg de macreuse, en cubes de 3 cm
2 oignons, émincés
2 tranches de bacon,
grossièrement hachées
4 gousses d'ail, pilées
2 c. s. de farine
440 ml de bière brune
375 ml de bouillon de bœuf
2 c. s. de thym, haché
sel et poivre du moulin
2 grosses pommes de terre,
émincées
huile d'olive

1 Faites chauffer 1 cuillerée à soupe d'huile d'olive dans une cocotte et faites dorer le bœuf, en remuant de temps en temps. Retirez-le de la cocotte, baissez le feu, versez le reste d'huile et faites revenir l'oignon et le bacon 10 minutes. Ajoutez l'ail et poursuivez la cuisson 1 minute. Remettez le bœuf dans le plat.

2 Saupoudrez la viande de farine, laissez cuire 1 minute en remuant sans cesse, puis versez progressivement la bière, sans cesser de remuer. Versez le bouillon, augmentez le feu et portez à ébullition. Incorporez le thym, salez et poivrez, puis réduisez le feu et laissez mijoter 2 heures.

3 Préchauffez le four à 200 °C (Th. 6). Graissez un plat allant au four et transférez la viande dedans. Recouvrez de tranches de pommes de terre, en les faisant se chevaucher, badigeonnez d'huile d'olive et saupoudrez de sel. Faites cuire 30 à 40 minutes au four, jusqu'à ce que les pommes de terre soient dorées.

Gratin de thon

Pour 6 personnes

**200 g de pâtes torsadées
(cotelli ou fusilli)
4 œufs durs, grossièrement hachés
4 oignons de printemps,
finement hachés
I c. s. d'aneth, haché
I c. s. de jus de citron
sel et poivre du moulin
I15 g de beurre
3 c. c. de curry madras, en poudre
50 g de farine
375 ml de lait
375 ml de crème fraîche
175 g de mayonnaise
3 x 210 g de thon en boîte, égoutté
160 g de chapelure
I gousse d'ail, pilée
I c. s. de persil plat, finement haché
2 c. s. de parmesan, râpé**

I Préchauffez le four à 180 °C (Th. 4). Faites cuire les pâtes dans un grand volume d'eau bouillante salée, puis égouttez-les. Graissez légèrement un plat à gratin. Mélangez les œufs, les oignons de printemps, l'aneth et le jus de citron. Salez et poivrez.

2 Faites fondre 60 g de beurre dans une casserole, ajoutez le curry et laissez cuire 30 secondes à feu doux. Incorporez la farine et poursuivez la cuisson I minute, jusqu'à ce que la préparation devienne mousseuse. Retirez la casserole du feu et incorporez progressivement le lait et la crème. Remettez sur le feu et laissez cuire en remuant sans cesse, jusqu'à épaississement. Laissez frémir 2 minutes, puis retirez du feu et incorporez la mayonnaise. Mélangez les pâtes, le thon et l'appareil à l'œuf. Versez la sauce et remuez bien. Étalez la préparation dans le plat en l'égalisant avec une cuiller en bois.

3 Faites fondre le reste de beurre dans une poêle, ajoutez la chapelure et l'ail et faites dorer I minute, en remuant sans cesse. Incorporez le persil et le parmesan, puis recouvrez les pâtes de cette préparation. Faites cuire 15 à 20 minutes au four.

Gratin de pâtes aux fromages grecs

Pour 6 personnes

415 g d'orzo
(pâtes en forme de grain de riz)
60 g de beurre
6 oignons de printemps, hachés
450 g de pousses d'épinards, hachées
sel et poivre du moulin
2 c. s. de farine
1,25 l de lait
250 g de kefalotyri
(fromage de chèvre ou de brebis)
250 g de feta marinée, égouttée
3 c. s. d'aneth, haché

1 Préchauffez le four à 190 °C (Th. 5). Faites cuire les pâtes dans un grand volume d'eau bouillante salée. Égouttez-les, puis remettez-les dans la casserole. Faites chauffer 20 g de beurre dans une grande casserole et faites rissoler les oignons de printemps 30 secondes. Ajoutez les épinards et remuez 1 minute. Salez et poivrez, et incorporez aux pâtes.

2 Faites fondre le beurre restant dans une casserole, puis incorporez la farine et laissez cuire 1 minute en remuant sans cesse. Retirez la casserole du feu et versez progressivement le lait en remuant. Replacez la casserole sur le feu et continuez à remuer 5 minutes, jusqu'à épaississement. Ajoutez les deux tiers du kefalotyri et toute la feta. Remuez encore 2 minutes. Quand les fromages sont fondus, retirez du feu et ajoutez l'aneth.

3 Versez la sauce sur les pâtes, assaisonnez, mélangez bien et transférez l'appareil dans un plat à gratin. Saupoudrez du kefalotyri restant et faites gratiner 15 minutes au four.

PRATIQUE Le kefalotyri est un fromage de brebis ou de chèvre sec, originaire de Grèce. On peut le remplacer par du parmesan ou du pecorino.

Souris d'agneau braisées à la tomate

Pour 4 personnes

2 c. s. d'huile d'olive
1 gros oignon rouge, émincé
4 souris d'agneau
(environ 250 g chacune)
2 gousses d'ail, pilées
400 g de tomates concassées
en conserve
125 ml de vin rouge
2 c. c. de romarin, haché
1/4 c. c. de sel
1/4 c. c. de poivre
150 g de polenta
50 g de beurre
50 g de parmesan, râpé

1 Préchauffez le four à 160 °C. Faites chauffer l'huile dans une cocotte et faites fondre l'oignon 3 à 4 minutes. Ajoutez les souris d'agneau et faites-les dorer 2 à 3 minutes. Incorporez l'ail, la tomate, le vin, le romarin et laissez cuire 3 à 4 minutes. Salez et poivrez.

2 Couvrez et faites cuire 2 heures au four. Retirez le couvercle et laissez cuire 15 minutes, jusqu'à ce que la viande commence à se détacher de l'os. Vérifiez régulièrement que la sauce n'attache pas et ajoutez de l'eau si besoin.

3 Environ 20 minutes avant la fin de la cuisson, portez 1 litre d'eau à ébullition dans une casserole. Versez la polenta en pluie fine en fouettant vigoureusement, puis réduisez le feu au minimum. Laissez frémir 8 à 10 minutes, jusqu'à ce que la polenta épaississe et se décolle de la paroi. Incorporez le beurre et le parmesan. Répartissez la polenta sur les assiettes de service, ajoutez les souris d'agneau et nappez-les de sauce.

Ragoût de la mer

Pour 6 personnes

16 moules
12 grosses crevettes
435 ml de cidre ou de vin blanc sec
50 g de beurre
1 gousse d'ail, pilée
2 échalotes, finement hachées
2 branches de céleri, finement hachées
1 gros blanc de poireau, émincé
250 g de champignons de Paris
1 feuille de laurier
300 g de filets de saumon,
coupés en cubes
400 g de filets de sole,
coupés en tronçons
300 ml de crème fraîche épaisse
3 c. s. de persil plat, finement haché
sel et poivre du moulin

1 Brossez les moules et supprimez les barbes. Jetez toutes celles qui sont ouvertes. Décortiquez les crevettes et retirez la veine dorsale.

2 Versez le cidre ou le vin dans une grande casserole et portez à ébullition. Ajoutez les moules, couvrez et laissez cuire 3 minutes en secouant la casserole de temps en temps. Retirez les moules avec une écumoire, jetez celles qui sont restées fermées et passez le jus de cuisson dans un tamis fin.

3 Faites fondre le beurre dans une casserole et faites revenir l'ail, l'échalote, le céleri et le poireau pendant 7 à 10 minutes. Quand les légumes sont tendres, ajoutez les champignons et laissez cuire 4 à 5 minutes. Pendant ce temps, sortez les moules de leurs coquilles.

4 Versez le jus de cuisson des moules dans la casserole avec la feuille de laurier et portez à ébullition. Ajoutez le saumon, la sole et les crevettes et faites cuire 3 à 4 minutes. Incorporez la crème et les moules et laissez frémir 2 minutes. Salez et poivrez. Parsemez de persil et servez aussitôt.

Moussaka

Pour 4 à 6 personnes

2 grosses aubergines,
coupées en tranches fines
dans le sens de la longueur
1 c. s. d'huile d'olive
1 gros oignon, haché
1 gousse d'ail, pilée
500 g de bœuf haché
125 ml de vin rouge
125 g de concentré de tomates
1 pincée de cannelle, en poudre
2 c. c. d'origan, haché
3 c. s. de persil plat, haché
sel et poivre du moulin
2 c. s. de parmesan, râpé
2 c. s. de chapelure fine

Sauce
20 g de beurre
40 g de farine
500 ml de lait
1 pincée de noix de muscade
1 c. s. de parmesan, râpé
1/2 c. c. de sel

1 Préchauffez le four à 200 °C. Disposez les tranches d'aubergine sur deux plaques de cuisson tapissées de papier d'aluminium et badigeonnez-les d'huile sur chaque face. Faites-les rôtir 10 minutes, retournez-les et continuez la cuisson 10 minutes. Laissez refroidir.

2 Faites chauffer le reste d'huile dans une casserole et faites fondre l'oignon et l'ail 4 à 5 minutes. Augmentez le feu et faites dorer la viande 5 minutes. Incorporez le vin, le concentré de tomates, la cannelle, l'origan et un quart du persil. Salez et poivrez. Baissez le feu et laissez frémir 15 à 20 minutes, en remuant de temps à autre.

3 Pour la sauce, faites fondre le beurre dans une petite casserole. Incorporez la farine et laissez mijoter à feu doux 2 à 3 minutes. Versez le lait progressivement en fouettant et laissez cuire 6 à 8 minutes, jusqu'à épaississement. Retirez du feu et ajoutez la noix de muscade, le parmesan et le sel.

4 Graissez un plat à gratin rectangulaire. Disposez une couche d'aubergines dans le fond et couvrez de viande hachée. Ajoutez une seconde couche d'aubergines et nappez de sauce. Mélangez le parmesan, la chapelure et le reste de persil et parsemez-en le plat. Faites dorer 30 minutes au four.

Tourte au bœuf et aux rognons

Pour 6 personnes

60 g de farine, salée et poivrée
1,5 kg de macreuse,
coupée en cubes de 2 cm
1 rognon de bœuf,
coupé en cubes de 2 cm
2 c. s. d'huile d'olive
2 oignons, hachés
125 g de champignons de Paris,
coupés en quartiers
40 g de beurre
250 ml de bouillon de bœuf ou de veau
185 ml de bière brune
2 c. s. de sauce Worcestershire
4 filets d'anchois en saumure,
hachés finement
1 c. s. de persil plat, haché
600 g de pâte feuilletée
1 œuf, légèrement battu

1 Farinez le bœuf et le rognon et secouez-les pour éliminer l'excédent. Faites chauffer l'huile dans une casserole et faites cuire l'oignon 5 minutes. Ajoutez les champignons et continuez la cuisson 5 minutes. Réservez.

2 Faites fondre un tiers du beurre dans la casserole et faites dorer un tiers du bœuf et du rognon pendant 5 minutes, en les retournant plusieurs fois. Réservez et répétez l'opération deux fois avec le reste de beurre, de bœuf et de rognon. Remettez toute la viande dans la casserole, versez le bouillon et la bière, mélangez et portez à ébullition. Réduisez le feu et laissez frémir 2 heures. Retirez du feu, laissez refroidir, puis incorporez l'oignon et les champignons, la sauce Worcestershire, les anchois et le persil.

3 Préchauffez le four à 180 °C. Étalez la farce dans une tourtière légèrement graissée. Abaissez la pâte au rouleau entre deux feuilles de papier sulfurisé, pour obtenir une feuille de la dimension de la tourtière. Badigeonnez de lait le bord de la tourtière et posez la pâte sur la farce. Pressez fermement les bords et badigeonnez d'œuf. Faites cuire 40 à 45 minutes au four, jusqu'à ce que la tourte soit dorée.

Gratin de macaronis au fromage

Pour 4 personnes

450 g de macaronis
40 g de beurre
300 ml de crème fraîche
125 g de fontina, émincée
125 g de provolone, râpé
100 g de gruyère, râpé
125 g de bleu de Bresse
ou de roquefort, émietté
sel et poivre noir du moulin
40 g de chapelure
25 g de parmesan, râpé

1 Préchauffez le four à 180 °C (Th. 5-6). Faites cuire les pâtes dans un grand volume d'eau bouillante salée. Égouttez et réservez au chaud.

2 Faites fondre le beurre dans une casserole et ajoutez la crème. Quand elle est sur le point de bouillir, ajoutez les fromages et faites-les fondre à feu doux 3 minutes en remuant constamment. Salez et poivrez. Versez les pâtes dans cette préparation et mélangez délicatement.

3 Transférez la préparation dans un plat à gratin graissé. Saupoudrez de chapelure mélangée avec le parmesan, parsemez de noix de beurre et faites gratiner 25 minutes. Servez avec une salade.

Osso-buco

Pour 4 personnes

10 tranches de jarret de veau épaisses
30 g de farine, salée et poivrée
60 ml d'huile d'olive
60 g de beurre
1 gousse d'ail, pilée
1 petite carotte, finement hachée
1 gros oignon, finement haché
1/2 branche de céleri, finement hachée
250 ml de vin blanc sec
375 ml de bouillon de veau ou de bœuf
400 g de tomates concassées
en conserve
1 bouquet garni
sel et poivre du moulin

1 Ficelez chaque tranche de veau pour maintenir la viande, puis saupoudrez de farine assaisonnée. Faites chauffer l'huile et le beurre avec l'ail dans une grande sauteuse à fond épais. Étalez les tranches de veau en une seule couche dans la sauteuse et faites-les dorer 12 à 15 minutes. Retirez la viande.

2 Faites cuire la carotte, l'oignon et le céleri 5 à 6 minutes dans la sauteuse. Augmentez le feu, versez le vin et poursuivez la cuisson 2 à 3 minutes. Ajoutez le bouillon, les tomates et le bouquet garni. Salez et poivrez.

3 Remettez le veau dans la sauteuse. Couvrez, baissez le feu et laissez frémir 1 heure.

4 Retirez la viande de la sauteuse et augmentez le feu. Faites bouillir la sauce jusqu'à épaississement, puis réintégrez le veau. Jetez le bouquet garni, goûtez et rectifiez l'assaisonnement. Servez avec des pâtes fraîches ou une purée de pommes de terre.

Ragoût de bœuf à la sauce hoisin

Pour 6 personnes

2 c. s. d'huile d'arachide
1 kg de bœuf à braiser,
coupé en cubes de 3 cm
1 c. s. de gingembre, finement haché
1 c. s. d'ail, finement haché
1 l de bouillon de bœuf
80 ml de vin de riz chinois
80 ml de sauce hoisin
1 zeste de mandarine confite
1 étoile de badiane
1 c. c. de grains de poivre du Sichuan,
grossièrement concassés
2 c. c. de sucre roux
300 g de daikon (radis blanc japonais),
coupé en tronçons de 3 cm
3 oignons de printemps,
en tronçons de 3 cm
50 g de pousses de bambou, émincées

1 Faites chauffer l'huile dans un wok préchauffé et faites dorer le bœuf en plusieurs fois, 1 minute de chaque côté. Retirez-le du wok.

2 Faites sauter le gingembre et l'ail dans le wok pendant quelques secondes. Versez le bouillon, le vin de riz et la sauce hoisin, ajoutez le zeste de mandarine, la badiane, le poivre du Sichuan, le sucre, le daikon et 875 ml d'eau, puis remettez le bœuf dans le wok.

3 Portez à ébullition en écumant régulièrement. Baissez le feu et laissez frémir 1 h 30, en remuant de temps à autre, jusqu'à épaississement. Ajoutez les oignons de printemps et les pousses de bambou 5 minutes avant la fin de la cuisson. Servez avec du riz cuit à la vapeur.

Cassoulet aux haricots de soja

Pour 4 personnes

325 g de haricots de soja secs
8 saucisses de porc
2 c. s. d'huile
1 oignon rouge, haché
4 gousses d'ail, hachées
1 grosse carotte, coupée en dés
1 branche de céleri, coupée en dés
800 g de tomates concassées
1 c. s. de concentré de tomates
250 ml de vin blanc
2 brins de thym
1 c. c. de feuilles d'origan séchées
1 c. s. d'origan, haché

1 La veille, faites tremper les haricots de soja dans de l'eau froide. Au moment de les cuisiner, égouttez-les, mettez-les dans une cocotte et couvrez-les d'eau fraîche, portez à ébullition. Baissez le feu et laissez frémir 1 h 30 en veillant à ce que l'eau couvre les haricots durant toute la cuisson. Égouttez-les. Piquez les saucisses et faites-les revenir 10 minutes dans une poêle antiadhésive. Égouttez sur du papier absorbant.

2 Faites chauffer l'huile dans une sauteuse et faites revenir l'oignon et l'ail à feu moyen pendant 5 minutes. Ajoutez la carotte et le céleri. Poursuivez la cuisson 5 minutes, en remuant. Incorporez la tomate, le concentré de tomates, le vin, le thym et l'origan sec et portez à ébullition. Baissez le feu et laissez frémir 10 minutes, jusqu'à épaississement.

3 Préchauffez le four à 160 °C. Transférez les légumes dans une cocotte en fonte, ajoutez les saucisses, les haricots et 250 ml d'eau. Couvrez et faites cuire 2 heures au four. Remuez de temps à autre et ajoutez un peu d'eau si besoin.

4 Sortez la cocotte du four, écumez la graisse, puis faites réduire le jus à feu vif pour qu'il épaississe. Retirez les brins de thym et incorporez l'origan. Servez aussitôt.

Souris d'agneau à la polenta

Pour 4 personnes

60 ml d'huile d'olive
8 souris d'agneau
30 g de farine, salée et poivrée
2 oignons, émincés
3 gousses d'ail, pilées
1 branche de céleri,
coupée en tronçons de 3 cm
2 carottes, épluchées
et coupées en tronçons de 3 cm
2 panais, épluchés
et coupés en tronçons de 3 cm
250 ml de vin rouge
750 ml de bouillon de volaille
250 ml de coulis de tomate
1 feuille de laurier
1 brin de thym
le zeste d'1/2 orange,
coupé en lamelles épaisses
1 brin de persil
sel et poivre du moulin

Polenta
500 ml de bouillon de volaille
150 g de polenta fine
50 g de beurre
sel et poivre du moulin
1 pincée de paprika

1 Préchauffez le four à 160 °C. Faites chauffer l'huile dans une grande cocotte. Saupoudrez les souris de farine, puis faites-les revenir sur le feu, en plusieurs fois. Réservez. Baissez le feu et faites fondre l'oignon 3 minutes dans la cocotte. Ajoutez l'ail, le céleri, la carotte, le panais, puis le vin, et laissez frémir 1 minute. Remettez les souris dans la cocotte. Versez le bouillon et le coulis de tomate, puis ajoutez la feuille de laurier, le thym, le zeste d'orange et le persil. Salez et poivrez. Couvrez et faites cuire 2 heures au four.

2 Pour la polenta, versez le bouillon et 500 ml d'eau dans une grande casserole et portez à ébullition. Incorporez la polenta en pluie fine, en remuant avec une cuiller en bois. Baissez le feu et laissez frémir 5 à 6 minutes, jusqu'à ce que la polenta épaississe et commence à se détacher de la paroi. Retirez la casserole du feu, incorporez le beurre, salez et poivrez. Transférez dans un plat préchauffé et saupoudrez de paprika.

3 Disposez les souris dans les bols de service chauds. Retirez le thym, le laurier et le zeste d'orange, puis nappez avec les légumes et la sauce. Servez la polenta à part.

Poulet à la moutarde et à l'estragon

Pour 4 à 6 personnes

60 ml d'huile d'olive
1 kg de cuisses de poulet, coupées en cubes
1 oignon, finement haché
1 poireau, émincé
1 gousse d'ail, finement hachée
350 g de champignons de Paris, émincés
1/2 c. c. d'estragon séché
375 ml de bouillon de volaille
185 ml de crème fraîche
2 c. c. de jus de citron
2 c. c. de moutarde de Dijon
sel et poivre du moulin

1 Préchauffez le four à 180 °C. Faites chauffer 1 cuillerée à soupe d'huile dans une cocotte et faites dorer les morceaux de poulet sur toutes les faces. Réservez.

2 Versez le reste d'huile dans la cocotte et faites fondre l'oignon, le poireau et l'ail 5 minutes à feu moyen. Ajoutez les champignons et laissez cuire 5 à 7 minutes. Versez le bouillon, ajoutez l'estragon, la crème, le jus de citron et la moutarde. Portez à ébullition et laissez frémir 2 minutes. Remettez les morceaux de poulet dans la cocotte. Salez et poivrez généreusement.

3 Couvrez et enfournez, puis laissez cuire 1 heure. Rectifiez l'assaisonnement et servez avec des pommes de terre vapeur et une salade.

Escalopes de veau au marsala

Pour 4 personnes

4 escalopes de veau
farine
50 g de beurre
1 c. s. d'huile
185 ml de marsala sec
3 c. c. de crème fraîche
30 g de beurre, en supplément

1 Aplatissez les escalopes à 5 mm d'épaisseur. Farinez-les, puis secouez-les pour éliminer l'excédent. Faites fondre le beurre avec l'huile dans une poêle et faites cuire les escalopes 1 à 2 minutes de chaque côté, à feu moyen. Réservez au chaud.

2 Versez le marsala dans la poêle et portez à ébullition, en grattant les sucs au fond de la poêle. Réduisez le feu et laissez frémir 1 à 2 minutes pour faire réduire le jus. Ajoutez la crème et laissez frémir encore 2 minutes, puis incorporez les noix de beurre en fouettant, jusqu'à épaississement. Remettez les escalopes dans la poêle et laissez frémir 1 minute. Servez aussitôt. Ce plat est délicieux accompagné d'une purée à l'ail et d'une salade verte.

Bœuf frit au gingembre

Pour 4 personnes

huile de friture
1 pomme de terre,
coupée en petits cubes
1 morceau de gingembre
500 g de rumsteck, émincé
3 gousses d'ail, pilées
1 c. c. de poivre noir moulu
2 c. s. d'huile, en supplément
2 oignons, coupés en rondelles
60 ml de bouillon de bœuf
2 c. s. de concentré de tomates
1/2 c. s. de sauce de soja
1 c. c. de piment, en poudre
3 c. s. de jus de citron
3 tomates, hachées
50 g petits pois

1 Versez de l'huile dans une casserole à fond épais jusqu'au tiers de sa hauteur et faites-la chauffer à 180 °C. Faites frire les cubes de pommes de terre, puis égouttez-les sur du papier absorbant.

2 Broyez le gingembre dans un mortier, puis mettez-le dans une étamine et tordez énergiquement pour en extraire tout le jus (il vous en faut environ 1 cuillerée à soupe).

3 Mélangez dans un récipient le bœuf, l'ail, le poivre et le jus de gingembre. Faites chauffer l'huile dans un wok et faites sauter le bœuf à feu vif, en plusieurs fois. Réservez au chaud. Baissez le feu, faites dorer les oignons et réservez-les.

4 Versez le bouillon, le concentré de tomates, la sauce de soja, le piment et le jus de citron dans le wok, puis laissez frémir à feu moyen pour faire réduire le jus. Ajoutez l'oignon, faites-le cuire 3 minutes, puis incorporez les tomates et les petits pois. Remuez sur le feu et poursuivez la cuisson 1 minute. Ajoutez le bœuf et les pommes de terre et réchauffez la préparation.

Bœuf Stroganoff

Pour 4 personnes

400 g de filet de bœuf, émincé
2 c. s. de farine
50 g de beurre
1 oignon, émincé
1 gousse d'ail, pilée
250 g de champignons de Paris, émincés
60 ml de cognac
250 ml de bouillon de bœuf
1 1/2 c. s. de concentré de tomates
185 g de crème aigre
sel et poivre du moulin
1 c. s. de persil plat, haché

1 Farinez les lamelles de bœuf et secouez-les pour éliminer l'excédent.

2 Faites fondre la moitié du beurre dans une grande poêle et saisissez le bœuf sur toutes les faces 1 à 2 minutes. Réservez. Ajoutez le reste de beurre et faites fondre l'oignon et l'ail 2 à 3 minutes à feu moyen. Incorporez les champignons et poursuivez la cuisson 2 à 3 minutes.

3 Versez le cognac et laissez frémir pour que presque tout le liquide s'évapore, puis ajoutez le bouillon et le concentré de tomates. Laissez mijoter 5 minutes. Remettez le bœuf dans la poêle et incorporez la crème. Laissez frémir 1 minute, jusqu'à épaississement. Salez et poivrez.

4 Décorez de persil haché et servez aussitôt avec des pâtes fraîches.

Irish stew

Pour 4 personnes

20 g de beurre
1 c. s. d'huile végétale
8 tranches de collier d'agneau
4 tranches de bacon,
coupées en lamelles
1 c. c. de farine
600 g de pommes de terre,
en tranches épaisses
3 carottes, en rondelles épaisses
1 oignon, coupé en 16 quartiers
1 petit poireau, en lamelles épaisses
150 g de chou de Milan, émincé
500 ml de bouillon de bœuf
sel et poivre noir du moulin
2 c. s. de persil plat, finement haché

1 Préchauffez le beurre et l'huile dans une cocotte à fond épais et faites revenir l'agneau 1 à 2 minutes de chaque côté, jusqu'à ce qu'il soit doré. Réservez. Faites rissoler le bacon 2 à 3 minutes. Retirez-le de la sauteuse avec une écumoire et laissez la graisse.

2 Versez la farine en pluie dans la sauteuse en mélangeant bien. Retirez la sauteuse du feu et disposez une couche de pommes de terre, de carottes, d'oignon, de poireau et de chou. Ajoutez le bacon, puis les tranches d'agneau. Terminez par une couche de légumes.

3 Couvrez de bouillon et portez à ébullition. Réduisez le feu, couvrez et laissez frémir 1 h 30, jusqu'à ce que la viande soit très tendre et que la sauce ait légèrement réduit. Salez et poivrez. Parsemez de persil haché au moment de servir.

Ragoût de bœuf à l'italienne

Pour 6 personnes

1,5 kg de bœuf, gîte ou aiguillette
30 g de beurre
3 c. s. d'huile d'olive
sel
1 pincée de piment de Cayenne
2 gousses d'ail, finement hachées
2 oignons, finement hachés
2 carottes, finement hachées
1 branche de céleri, finement hachée
1/2 poivron rouge, finement haché
3 poireaux, émincés
185 ml de vin rouge
1 c. s. de concentré de tomates
375 ml de bouillon de bœuf
200 ml de coulis de tomates
8 feuilles de basilic, ciselées
poivre du moulin
1/2 c. c. de feuilles d'origan,
finement hachées
2 c. s. de persil, finement haché
60 ml de crème épaisse

1 Faites fondre le beurre avec l'huile dans une cocotte et faites dorer la pièce de bœuf 10 à 12 minutes. Salez, puis ajoutez le piment de Cayenne, l'ail, l'oignon, la carotte, le céleri, le poivron et le poireau. Faites revenir les légumes 10 minutes à feu moyen pour les faire dorer.

2 Augmentez le feu, versez le vin et faites bouillir jusqu'à évaporation. Incorporez le concentré de tomates, puis le bouillon. Laissez frémir 30 minutes. Ajoutez le coulis de tomates, le basilic et l'origan. Poivrez généreusement. Couvrez et laissez mijoter 1 heure à feu doux.

3 Quand le bœuf est tendre, sortez-le de la cocotte et laissez-le reposer 10 minutes avant de le découper. Rectifiez l'assaisonnement, puis incorporez le persil et la crème.

ASTUCE On peut servir des spaghettis nappés de la sauce du ragoût pour commencer, puis le bœuf accompagné de légumes ou d'une salade.

Saucisses au curry

Pour 6 personnes

9 saucisses de bœuf ou de porc,
épaisses
1 c. s. d'huile végétale
20 g de beurre
2 c. c. de gingembre, râpé
3 gousses d'ail, pilées
2 gros oignons, émincés
3 c. c. de curry, en poudre
1 c. c. de garam masala (voir p. 25)
2 c. c. de concentré de tomates
1 c. s. de farine
625 ml de bouillon de volaille, chaud
2 feuilles de laurier
sel et poivre du moulin

1 Placez les saucisses dans une casserole, couvrez-les d'eau froide et portez à ébullition. Réduisez le feu et laissez frémir 3 minutes. Retirez du feu et laissez les saucisses refroidir dans leur eau de cuisson, puis égouttez-les. Épongez-les avec du papier absorbant et coupez-les en rondelles de 2 cm.

2 Faites chauffer l'huile dans une grande poêle et faites dorer la saucisse 2 à 3 minutes. Égouttez sur du papier absorbant.

3 Faites fondre le beurre dans la poêle, puis ajoutez le gingembre, l'ail et l'oignon. Faites revenir à feu moyen environ 5 minutes. Ajoutez le curry et le garam masala et laissez cuire 1 minute, jusqu'à ce que le mélange embaume. Incorporez le concentré de tomates, continuez la cuisson 1 minute, puis ajoutez la farine. Mélangez bien, puis versez progressivement le bouillon, sans cesser de remuer. Laissez frémir, ajoutez les feuilles de laurier et la saucisse, puis faites mijoter 15 minutes à feu doux, jusqu'à épaississement. Salez et poivrez. Servez ce curry accompagné d'une purée de pommes de terre ou de riz cuit à la vapeur.

Les pâtes

Penne rigate à la tomate et au basilic

Pour 4 personnes

500 g de penne rigate
80 ml d'huile d'olive
4 gousses d'ail, pilées
4 filets d'anchois, finement hachés
2 petits piments rouges, épépinés et finement hachés
6 grosses tomates, pelées, épépinées et finement hachées
80 ml de vin blanc
1 c. s. de concentré de tomates
2 c. c. de sucre
2 c. s. de persil plat, finement haché
3 c. s. de basilic, ciselé
sel et poivre du moulin
parmesan râpé

1 Faites cuire les pâtes dans un grand volume d'eau bouillante salée. Égouttez bien.

2 Pendant ce temps, faites chauffer l'huile dans une poêle et faites revenir l'ail 30 secondes. Incorporez l'anchois et le piment et poursuivez la cuisson 30 secondes. Ajoutez les tomates et laissez cuire 2 minutes à feu vif. Versez le vin, le concentré de tomates et le sucre, couvrez et laissez frémir 10 minutes, jusqu'à épaississement.

3 Versez la sauce sur les pâtes, salez et poivrez, parsemez de persil et de basilic et mélangez délicatement. Servez les pâtes accompagnées de parmesan râpé.

Trenette au pesto et aux légumes

Pour 4 personnes

Pesto
2 gousses d'ail
50 g de pignons de pin
125 g de basilic, effeuillé
150 ml d'huile d'olive
50 g de parmesan, finement râpé
sel et poivre du moulin

500 g de trenette ou de spaghettis
175 g de haricots verts
175 g de petites pommes de terre, émincées

1 Préparez le pesto : mixez l'ail et les pignons de pin ou pilez-les dans un mortier. Ajoutez le basilic et le parmesan, puis versez progressivement l'huile d'olive, sans cesser de mixer.

2 Portez à ébullition un grand volume d'eau. Salez, puis ajoutez les pâtes, les haricots et les pommes de terre en remuant bien. Laissez cuire jusqu'à ce que celles-ci soient *al dente*. Égouttez en réservant un peu d'eau de cuisson.

3 Remettez les pâtes et les légumes dans la casserole, incorporez le pesto et mélangez bien. Ajoutez un peu d'eau de cuisson si le mélange semble un peu sec. Salez et poivrez. Servez aussitôt.

PRATIQUE Le *pesto alla genovese* accompagne traditionnellement des trenette, pâtes longues et plates d'origine ligure. Vous pouvez supprimer les légumes ou remplacer les trenette par des spaghettis.

Penne
aux champignons

Pour 4 personnes

2 c. s. d'huile d'olive
500 g de champignons de Paris,
émincés
2 gousses d'ail, pilées
2 c. c. de marjolaine, hachée
125 ml de vin blanc sec
80 ml de crème fraîche
375 g de penne
1 c. s. de jus de citron
1 c. c. de zeste de citron, finement râpé
2 c. s. de persil, haché
50 g de parmesan, râpé
sel et poivre noir du moulin

1 Préchauffez l'huile dans une grande poêle à fond épais et faites revenir les champignons 3 minutes à feu vif, en remuant constamment. Ajoutez l'ail et la marjolaine et poursuivez la cuisson 2 minutes.

2 Versez le vin blanc, baissez le feu et laissez frémir 5 minutes. Quand le liquide est presque évaporé, incorporez la crème et laissez mijoter 5 minutes à feu doux, jusqu'à épaississement.

3 Pendant ce temps, faites cuire les pâtes dans un grand volume d'eau bouillante salée. Égouttez.

4 Ajoutez le jus de citron, le zeste, le persil et la moitié du parmesan dans la sauce. Salez et poivrez. Versez la sauce sur les pâtes, mélangez bien, puis saupoudrez du reste de parmesan.

Agnolotti au saumon et aux câpres

Pour 4 personnes

125 ml d'huile d'olive
100 g de câpres, égouttées
500 g de filets de saumon
sel et poivre du moulin
625 g d'agnolotti à la ricotta
150 g de beurre
1 1/2 c. c. de zeste de citron, râpé
2 c. s. de jus de citron
3 c. s. de persil, haché

1 Faites chauffer un peu d'huile dans une poêle et faites dorer les câpres à feu vif 3 à 4 minutes, jusqu'à ce qu'elles soient croustillantes. Égouttez sur du papier absorbant.

2 Salez et poivrez le saumon des deux côtés. Faites chauffer le reste d'huile dans une poêle antiadhésive et faites cuire le saumon 2 à 3 minutes sur chaque face. Retirez la poêle du feu et réservez au chaud. Émiettez le saumon à la main en prenant soin de retirer toutes les arêtes.

3 Faites cuire les pâtes dans un grand volume d'eau bouillante salée. Égouttez-les et remettez-les dans la casserole. Faites chauffer le beurre dans une poêle 5 minutes à feu doux, jusqu'à coloration, puis ajoutez le zeste de citron, le jus de citron et le persil. Disposez le saumon sur les pâtes et arrosez de sauce. Parsemez de câpres et servez aussitôt.

PRATIQUE Les agnolotti sont des pâtes farcies qui ressemblent aux raviolis. Les farces diffèrent selon la région d'origine. En vente chez les traiteurs italiens.

Tagliatelles aux crevettes

Pour 4 personnes

400 g de tagliatelles aux œufs sèches
1 c. s. d'huile d'olive
3 gousses d'ail, finement hachées
20 crevettes crues, décortiquées,
avec la queue
550 g de tomates olivettes,
coupées en dés
2 c. s. de basilic, émincé
125 ml de vin blanc
80 ml de crème fraîche
feuilles de basilic

1 Faites cuire les pâtes dans un grand volume d'eau bouillante salée. Égouttez-les et gardez-les au chaud. Réservez 2 cuillerées à soupe d'eau de cuisson.

2 Pendant ce temps, faites chauffer l'huile dans une grande poêle et faites revenir l'ail 1 à 2 minutes à feu doux. Augmentez le feu, ajoutez les crevettes et faites-les cuire à feu moyen 3 à 5 minutes. Retirez les crevettes et réservez-les au chaud.

3 Ajoutez les tomates et le basilic et remuez 3 minutes sur le feu. Versez le vin et la crème, portez à ébullition et laissez frémir 2 minutes.

4 Mixez la sauce, transvasez-la dans la poêle, versez l'eau réservée et portez à frémissement. Ajoutez les crevettes et faites-les chauffer rapidement. Versez la sauce sur les pâtes, mélangez délicatement, décorez de feuilles de basilic et servez.

Orechiette au potiron

Pour 6 personnes

1 kg de potiron,
coupé en cubes de 2 cm
80 ml d'huile d'olive
500 g d'orechiette
2 gousses d'ail, pilées
1 c. c. de flocons de piments séchés
1 c. c. de graines de coriandre,
concassées
1 c. s. de graines de cumin, concassées
185 g de yaourt nature épais
3 c. s. de feuilles de coriandre, hachées
sel et poivre du moulin

1 Préchauffez le four à 200 °C (Th. 6). Étalez les cubes de potiron en une seule couche dans un plat, arrosez-les de 2 cuillerées à soupe d'huile d'olive et mélangez bien. Faites-les rôtir 30 minutes au four, en les retournant à mi-cuisson.

2 Pendant ce temps, faites cuire les pâtes dans un grand volume d'eau bouillante salée. Égouttez-les et remettez-les dans la casserole.

3 Faites chauffer le reste d'huile dans une casserole et faites revenir l'ail, le piment, la coriandre et le cumin jusqu'à ce que la préparation embaume. Mélangez les épices et le potiron avec les pâtes, puis incorporez le yaourt et la coriandre. Salez et poivrez. Servez aussitôt.

PRATIQUE Le mot *orechiette* (« petites oreilles » en italien) désigne une variété de pâtes ovales et creuses. On peut les remplacer par des conchiglie ou des cavatelli.

Tagliatelles au thon, aux câpres et à la roquette

Pour 4 personnes

350 g de tagliatelles fraîches
3 gousses d'ail, pilées
1 c. c. de zeste de citron, finement râpé
80 ml d'huile d'olive
500 g de thon, coupé en cubes de 5 cm
sel et poivre du moulin
200 g de feuilles de roquette,
grossièrement hachées
4 c. s. de petites câpres, rincées
et bien égouttées
60 ml de jus de citron
2 c. s. de persil plat, finement haché

1 Faites cuire les pâtes dans un grand volume d'eau bouillante salée. Égouttez bien.

2 Pendant ce temps, mélangez l'ail, le zeste de citron et 1 cuillerée d'huile dans un récipient. Ajoutez le thon et remuez délicatement. Salez et poivrez.

3 Faites chauffer une poêle antiadhésive et saisissez le thon 30 secondes de chaque côté. Ajoutez la roquette et les câpres et remuez délicatement 1 minute sur le feu. Quand les feuilles de roquette commencent à se flétrir, ajoutez le jus de citron et retirez la poêle du feu.

4 Versez le reste d'huile sur les pâtes chaudes, ajoutez le thon et le persil. Salez et poivrez, puis mélangez délicatement. Servez aussitôt.

Penne alla carbonara

Pour 4 à 6 personnes

400 g de penne
1 c. s. d'huile d'olive
200 g de pancetta ou de bacon,
coupé en fines lamelles
6 jaunes d'œufs
185 ml de crème fraîche épaisse
75 g de parmesan, râpé
sel et poivre du moulin

1 Faites cuire les pâtes dans un grand volume d'eau bouillante salée.

2 Pendant ce temps, faites chauffer l'huile dans une grande poêle et faites rissoler la pancetta à feu vif 6 minutes, jusqu'à ce qu'elle soit dorée et croustillante. Retirez-la de la poêle à l'écumoire et égouttez-la sur du papier absorbant.

3 Battez les jaunes d'œufs, la crème et le parmesan dans un saladier. Salez et poivrez généreusement. Remettez les pâtes égouttées dans la casserole, versez l'appareil aux œufs et mélangez délicatement. Ajoutez la pancetta et réchauffez le tout 30 secondes à feu très doux. La sauce doit épaissir légèrement. Servez aussitôt.

Fusilli au poulet et aux champignons

Pour 4 personnes

375 g de fusilli
2 c. s. d'huile d'olive
350 g de blancs de poulet,
coupés en cubes de 2 cm
20 g de beurre
400 g de champignons de Paris,
émincés
2 gousses d'ail, finement hachées
125 ml de vin blanc sec
185 ml de crème fraîche
1 c. c. de zeste de citron, finement râpé
2 c. s. de jus de citron
1 c. s. d'estragon, haché
2 c. s. de persil, haché
25 g de parmesan, râpé
sel et poivre du moulin

1 Faites cuire les pâtes dans un grand volume d'eau bouillante salée. Égouttez-les.

2 Pendant ce temps, faites chauffer 1 cuillerée à soupe d'huile dans une poêle et faites dorer le poulet 3 à 4 minutes à feu vif. Réservez au chaud.

3 Faites chauffer le beurre et le reste d'huile et faites revenir les champignons 3 minutes à feu vif, en remuant. Ajoutez l'ail et poursuivez la cuisson 2 minutes.

4 Versez le vin, baissez le feu et laissez frémir 5 minutes. Quand le liquide est presque évaporé, incorporez la crème et le poulet et laissez frémir 5 minutes, jusqu'à épaississement.

5 Ajoutez le zeste de citron, le jus de citron, l'estragon, le persil et le parmesan. Salez et poivrez, puis incorporez les pâtes chaudes à la sauce. Servez aussitôt.

Tagliatelles aux légumes de printemps

Pour 4 personnes

120 g de fèves fraîches
150 g d'asperges vertes,
coupées en petits tronçons
1 c. c. de sel
350 g de tagliatelles fraîches
100 g de haricots verts,
coupés en petits tronçons
120 g de petits pois frais, cuits
30 g de beurre
1 petit bulbe de fenouil, émincé
375 ml de crème fraîche épaisse
2 c. s. de parmesan, râpé

1 Portez un grand volume d'eau à ébullition. Salez, ajoutez les fèves et les asperges et laissez frémir 3 minutes.

2 Retirez les légumes avec une écumoire et réservez-les. Faites cuire les pâtes dans l'eau de cuisson des fèves. Dès qu'elles commencent à ramollir, ajoutez les haricots et les petits pois. Faites cuire le tout environ 4 minutes, jusqu'à ce que les pâtes soient *al dente*.

3 Pendant ce temps, faites chauffer le beurre dans une grande poêle et faites fondre le fenouil à feu doux pendant 5 minutes, sans le laisser colorer. Incorporez la crème, salez et poivrez et laissez mijoter à petit frémissement.

4 Épluchez les fèves. Égouttez les pâtes, les haricots verts et les petits pois et transférez-les dans la poêle. Ajoutez le parmesan, les fèves et les asperges. Mélangez délicatement et servez aussitôt.

Penne à l'osso-buco

Pour 4 personnes

2 oignons, émincés
2 feuilles de laurier, émiettées
1,5 kg de jarret de veau,
en tranches épaisses
sel et poivre du moulin
250 ml de vin rouge
800 g de tomates concassées
en conserve
375 ml de bouillon de bœuf
2 c. c. de romarin, haché
400 g de penne
150 g de petits pois surgelés

1 Préchauffez le four à 220 °C (Th. 7). Étalez les oignons dans un plat à rôtir, badigeonnez légèrement d'huile et disposez dessus le laurier et les tranches de veau, en une seule couche. Salez et poivrez. Faites rôtir 10 à 15 minutes en veillant à ce que l'oignon ne brûle pas.

2 Versez le vin dans le plat et remettez au four 5 minutes. Baissez la température du four à 180 °C (Th. 6), incorporez la tomate, le bouillon et 1 cuillerée à café de romarin. Couvrez le plat de papier d'aluminium et remettez-le au four. Laissez cuire 2 heures. Retirez le papier d'aluminium et poursuivez la cuisson 15 minutes, jusqu'à ce que la viande se détache complètement de l'os.

3 Faites cuire les pâtes dans un grand volume d'eau bouillante salée. Pendant ce temps, sortez le veau du four et laissez-le refroidir un peu. Ajoutez les petits pois et le reste du romarin, mettez le plat sur le feu et faites cuire 5 minutes à feu moyen, jusqu'à ce que les petits pois soient tendres. Égouttez les pâtes, répartissez-les dans des assiettes creuses et garnissez d'osso-buco.

Pâtes aux lentilles et aux légumes d'hiver

Pour 4 personnes

1 l de bouillon de volaille
500 g d'orechiette (voir p. 296)
ou de conchigliette
2 c. s. d'huile d'olive
1 oignon, haché
2 carottes, coupées en dés
3 branches de céleri, coupées en dés
3 gousses d'ail, finement hachées
3 c. c. de thym, haché
sel et poivre du moulin
400 g de lentilles vertes,
cuites ou en conserve
huile d'olive, pour arroser
parmesan râpé

1 Faites bouillir le bouillon 10 minutes dans une grande casserole pour le faire réduire de moitié. Pendant ce temps, faites cuire les pâtes dans un grand volume d'eau bouillante salée. Égouttez-les, puis remettez-les dans la casserole pour les garder au chaud.

2 Faites chauffer l'huile dans une sauteuse et faites dorer l'oignon, la carotte et le céleri 10 minutes à feu moyen. Ajoutez 2 gousses d'ail et 2 cuillerées à café de thym et poursuivez la cuisson 1 minute. Versez le bouillon, portez à ébullition et laissez cuire 8 minutes. Ajoutez les lentilles et mélangez sur le feu, jusqu'à ce qu'elles soient bien chaudes.

3 Incorporez le reste d'ail et de thym, salez et poivrez généreusement. Mettez les pâtes dans un récipient, versez la sauce aux lentilles et mélangez délicatement. Arrosez généreusement d'huile d'olive et servez avec du parmesan.

Penne aux boulettes de viande, sauce tomate

Pour 6 personnes

Boulettes de viande
2 tranches de pain de mie,
sans la croûte
60 ml de lait
500 g de porc et de veau hachés
1 petit oignon, finement haché
2 gousses d'ail, finement hachées
3 c. s. de persil plat, finement haché
2 c. c. de zeste de citron, finement râpé
1 œuf, légèrement battu
50 g de parmesan, râpé
sel et poivre du moulin
farine
2 c. s. d'huile d'olive

125 ml de vin blanc
800 g de tomates concassées
en conserve
1 c. s. de concentré de tomates
1 c. c. de sucre semoule
1/2 c. c. d'origan séché
500 g de penne rigate
feuilles d'origan

1 Préparez les boulettes de viande : faites tremper le pain dans le lait 5 minutes, puis pressez-le bien. Mélangez le pain, la viande hachée, l'oignon, l'ail, le persil, le zeste de citron, l'œuf et le parmesan dans un grand récipient. Salez et poivrez. Humidifiez vos mains et façonnez des boulettes de la taille d'une noix, puis roulez-les dans la farine. Faites chauffer l'huile dans une sauteuse et faites revenir les boulettes 10 minutes à feu moyen. Égouttez-les sur du papier absorbant et réservez au chaud.

2 Versez le vin dans la sauteuse et faites-le bouillir 3 minutes. Ajoutez la tomate, le sucre, le concentré de tomates et l'origan. Baissez le feu et laissez frémir 10 minutes. Pendant ce temps, faites cuire les pâtes dans un grand volume d'eau bouillante salée.

3 Répartissez les pâtes dans les assiettes de service, garnissez de boulettes et nappez de sauce. Décorez de feuilles d'origan.

Spaghettini aux anchois, aux câpres et au piment

Pour 4 personnes

400 g de spaghettini
125 ml d'huile d'olive
4 gousses d'ail, finement hachées
10 filets d'anchois, hachés
1 c. s. de petites câpres, rincées et égouttées
1 c. c. de flocons de piment
2 c. s. de jus de citron
2 c. c. de zeste de citron, finement râpé
3 c. s. de persil, haché
3 c. s. de feuilles de basilic, hachées
3 c. s. de menthe, hachée
50 g de parmesan, grossièrement râpé
sel et poivre du moulin
huile d'olive
copeaux de parmesan

1 Faites cuire les pâtes dans un grand volume d'eau bouillante salée. Égouttez-les et réservez au chaud.

2 Faites chauffer l'huile dans une poêle et faites dorer l'ail 2 à 3 minutes à feu doux. Ajoutez les anchois, les câpres et le piment et laissez cuire 1 minute.

3 Incorporez les pâtes dans la poêle, avec le jus de citron, le zeste de citron, le persil, le basilic, la menthe et le parmesan. Salez et poivrez. Mélangez soigneusement.

4 Avant de servir, arrosez d'un filet d'huile d'olive et parsemez de copeaux de parmesan.

Lasagnette au gorgonzola et aux noix

Pour 4 personnes

375 g de lasagnette
100 g de noix
40 g de beurre
3 échalotes, finement hachées
1 c. s. de cognac
250 ml de crème fraîche
200 g de gorgonzola, émietté
70 g de jeunes feuilles d'épinards
sel et poivre noir concassé

1 Préchauffez le four à 200 °C (Th. 6). Faites cuire les pâtes dans un grand volume d'eau bouillante salée. Égouttez-les, remettez-les dans la casserole et gardez-les au chaud.

2 Pendant ce temps, placez les noix sur une plaque de four et faites-les dorer 5 minutes au four. Laissez-les refroidir et concassez-les grossièrement.

3 Faites chauffer le beurre dans une grande casserole et faites fondre les échalotes 1 à 2 minutes à feu moyen. Versez le cognac et laissez frémir 1 minute, puis incorporez la crème et le gorgonzola. Laissez cuire 2 à 3 minutes, jusqu'à épaississement.

4 Ajoutez les épinards et les noix (réservez 1 cuillerée à soupe de noix pour décorer). Laissez cuire 1 à 2 minutes jusqu'à ce que les épinards soient juste flétris. Salez et poivrez généreusement, puis versez la sauce sur les pâtes en mélangeant délicatement. Répartissez sur les assiettes de service et parsemez de noix grillées.

ASTUCE Choisissez du gorgonzola jeune, qui apporte une saveur plus douce à la sauce.

Gnocchi aux poivrons

Pour 4 à 6 personnes

6 gros poivrons rouges
400 g de conchiglie
2 c. s. d'huile d'olive
1 oignon, émincé
3 gousses d'ail, finement hachées
sel et poivre du moulin
2 c. s. de feuilles de basilic, ciselées
feuilles de basilic entières
copeaux de parmesan

1 Coupez les poivrons en deux, retirez les pépins et les membranes blanches. Faites-les griller au four jusqu'à ce que la peau noircisse, puis mettez-les dans un sac en plastique. Laissez-les refroidir.

2 Faites cuire les pâtes dans un grand volume d'eau bouillante salée. Pendant ce temps, préchauffez l'huile dans une grande poêle et faites fondre l'oignon et l'ail 5 minutes, à feu moyen. Pelez les poivrons. Détaillez un poivron en fines tranches et mettez celles-ci dans la poêle.

3 Coupez les poivrons restants en petits morceaux et mixez-les jusqu'à obtention d'une purée lisse. Versez cette dernière dans la poêle et laissez cuire 5 minutes à feu doux.

4 Égouttez les pâtes et transvasez-les dans un saladier. Nappez de sauce et mélangez bien. Salez et poivrez, puis incorporez le basilic ciselé. Décorez de feuilles de basilic et accompagnez de copeaux de parmesan.

Spaghetti alle vongole

Pour 4 personnes

1 kg de palourdes
375 g de spaghettis
125 ml d'huile d'olive
40 g de beurre
1 petit oignon, haché très finement
6 gousses d'ail, finement hachées
125 ml de vin blanc sec
1 petit piment rouge, épépiné
et finement haché
15 g de persil plat haché
sel et poivre du moulin

1 Brossez soigneusement les palourdes et jetez toutes celles qui sont ouvertes. Faites-les dégorger 1 heure dans l'eau froide, en renouvelant l'eau à plusieurs reprises, jusqu'à ce qu'elle soit limpide. Égouttez et réservez.

2 Faites cuire les spaghettis dans un grand volume d'eau bouillante salée.

3 Pendant ce temps, faites chauffer l'huile et 20 g de beurre dans une grande casserole. Ajoutez l'oignon et la moitié de l'ail et faites légèrement dorer pendant 10 minutes. Versez le vin et poursuivez la cuisson 2 minutes. Ajoutez les palourdes, le piment et le reste de beurre et d'ail. Couvrez et laissez cuire 8 minutes, en remuant régulièrement jusqu'à ce que les palourdes soient ouvertes. Jetez celles qui sont restées fermées.

4 Incorporez le persil, salez et poivrez. Égouttez les pâtes, puis mettez-les dans la casserole avec les palourdes et mélangez soigneusement. Servez aussitôt.

Penne all'arrabiata

Pour 4 personnes

2 c. s. d'huile d'olive
2 grosses gousses d'ail, émincées
1 à 2 piments séchés
800 g de tomates concassées
en conserve
sel
400 g de penne rigatte
1 brin de basilic, ciselé

1 Préchauffez l'huile dans une casserole et ajoutez l'ail et les piments. Faites cuire à feu doux jusqu'à ce que l'ail soit doré. Ajoutez la tomate et salez. Laissez cuire 20 à 30 minutes à feu doux, en écrasant la tomate avec une cuillère en bois.

2 Pendant ce temps, faites cuire les pâtes dans un grand volume d'eau bouillante salée. Égouttez-les.

3 Incorporez le basilic à la sauce, salez et poivrez, puis mélangez avec les pâtes.

ASTUCE Si vous souhaitez une sauce plus relevée, écrasez les piments avant de les faire cuire.

Pasta alla Norma

Pour 4 à 6 personnes

185 ml d'huile d'olive
1 oignon, finement haché
2 gousses d'ail, finement hachées
800 g de tomates concassées
en conserve
sel et poivre du moulin
400 g de spaghettis
1 grosse aubergine
30 g de feuilles de basilic, ciselées
60 g de ricotta salata, émiettée
45 g de pecorino ou de parmesan, râpé

1 Préchauffez 2 cuillerées à soupe d'huile dans une poêle et faites fondre l'oignon 5 minutes à feu moyen. Ajoutez l'ail et laissez cuire 30 secondes, puis incorporez les tomates. Salez et poivrez. Baissez le feu et laissez mijoter 20 à 25 minutes, jusqu'à épaississement.

2 Faites cuire les pâtes dans un grand volume d'eau bouillante salée. Pendant ce temps, coupez l'aubergine dans le sens de la longueur en lanières de 5 mm d'épaisseur. Faites chauffer l'huile dans une sauteuse et faites frire les lamelles d'aubergine, 3 à 5 minutes de chaque côté. Égouttez-les sur du papier absorbant.

3 Ajoutez l'aubergine et le basilic dans la sauce et mélangez.

4 Égouttez les pâtes et incorporez-les à la sauce avec la moitié de la ricotta et du pecorino. Remuez délicatement. Saupoudrez avec le reste de fromage, arrosez d'un filet d'huile d'olive et servez aussitôt.

PRATIQUE La *ricotta salata* est une ricotta légèrement salée. Vous pouvez la remplacer par de la feta.

Spaghetti alla marinara

Pour 4 personnes

500 g de spaghettis
1 c. s. d'huile d'olive
1 oignon, finement haché
3 gousses d'ail, finement hachées
800 g de tomates concassées
en conserve
2 c. s. de concentré de tomates
170 ml de vin blanc sec
2 c. c. de sucre roux
1 c. c. de zeste de citron, finement râpé
2 c. s. de feuilles de basilic, ciselées
2 c. s. de persil plat, finement haché
sel et poivre du moulin
12 crevettes crues, décortiquées,
avec la queue
8 moules, nettoyées
8 noix de Saint-Jacques, sans le corail
2 petits calamars, nettoyés et coupés
en anneaux de 1 cm

1 Faites cuire les pâtes dans un grand volume d'eau bouillante salée.

2 Pendant ce temps, faites chauffer l'huile dans une grande casserole et faites dorer l'oignon 8 minutes à feu moyen. Ajoutez l'ail, les tomates, le concentré de tomates, le vin, le sucre, le zeste de citron, 1 cuillerée à soupe de basilic, le persil et 250 ml d'eau. Laissez mijoter 1 heure, en remuant de temps à autre, jusqu'à épaississement. Salez et poivrez.

3 Ajoutez les crevettes et les moules et laissez cuire 1 minute, puis incorporez les noix de Saint-Jacques et poursuivez la cuisson 2 minutes. Ajoutez enfin le calamar et poursuivez la cuisson pendant 1 minute.

4 Égouttez les pâtes, mettez-les dans un grand récipient, puis nappez-les de sauce aux fruits de mer. Mélangez délicatement avant de servir.

Pappardelle au ragoût d'agneau

Pour 6 à 8 personnes

2 c. s. d'huile d'olive
1 gros oignon, finement haché
1 grosse carotte, coupée en petits dés
2 branches de céleri,
coupées en petits dés
2 feuilles de laurier
1,5 kg de côtes d'agneau, dégraissées
4 gousses d'ail, finement hachées
1 c. s. de romarin, finement haché
750 ml de vin rouge
1 l de bouillon de bœuf
500 ml de coulis de tomates
1/2 c. c. de zeste de citron,
finement râpé
500 g de pappardelle
sel et poivre du moulin
feuilles de persil plat

1 Faites chauffer 1 cuillerée à soupe d'huile dans une grande casserole et faites revenir 10 minutes à feu moyen l'oignon, la carotte, le céleri et les feuilles de laurier. Réservez. Ajoutez le reste d'huile dans la casserole et faites dorer l'agneau pendant 15 minutes. Réservez.

2 Faites chauffer l'ail et le romarin dans la casserole pendant 30 secondes, puis ajoutez les légumes dans la casserole. Versez le vin, le bouillon, le coulis de tomates et 250 ml d'eau. Ajoutez le zeste de citron. À l'aide d'une cuiller en bois, grattez les sucs collés au fond de la casserole. Ajoutez les côtes d'agneau et portez à ébullition, puis laissez frémir 2 h 15 à feu doux. Pendant ce temps, faites cuire les pâtes dans un grand volume d'eau bouillante salée.

3 Retirez les côtes de la casserole et ôtez les os en vous aidant d'une fourchette. Remettez la viande dans la sauce et remuez sur le feu jusqu'à ce qu'elle soit bien chaude. Salez et poivrez. Égouttez les pâtes, mettez-les dans un grand récipient et nappez-les de ragoût d'agneau. Décorez de feuilles de persil et servez aussitôt.

Linguine au jambon et aux cœurs d'artichauts

Pour 4 personnes

500 g de linguine fraîches
25 g de beurre
2 grosses gousses d'ail, hachées
150 g de cœurs d'artichauts marinés,
égouttés et coupés en quatre
150 g de jambon, coupé en lamelles
300 ml de crème fraîche
2 c. c. de zeste de citron,
grossièrement râpé
15 g de basilic, ciselé
35 g de parmesan, râpé

1 Faites cuire les pâtes dans un grand volume d'eau bouillante salée. Égouttez-les et remettez-les dans la casserole pour les garder au chaud.

2 Pendant ce temps, faites fondre le beurre dans une poêle et faites revenir l'ail 1 minute à feu moyen, jusqu'à ce qu'il embaume. Ajoutez les artichauts et le jambon et poursuivez la cuisson 2 minutes.

3 Incorporez la crème et le zeste de citron, baissez le feu et laissez frémir 5 minutes, en séparant délicatement les feuilles d'artichauts avec une cuiller en bois.

4 Versez la sauce sur les pâtes, puis incorporez le basilic et le parmesan et mélangez jusqu'à ce que les pâtes soient bien enrobées. Répartissez sur les assiettes de service et servez aussitôt.

Pizzocheri au chou et aux pommes de terre

Pour 6 personnes

350 g de chou de Milan,
grossièrement haché
175 g de pommes de terre,
coupées en cubes de 2 cm
500 g de pâtes de sarrasin (pizzocheri)
4 c. s. d'huile d'olive
1 petit bouquet de sauge,
finement haché
2 gousses d'ail, finement hachées
350 g de fromages italiens mélangés
sel et poivre du moulin
parmesan râpé

1 Portez à ébullition un grand volume d'eau salée. Ajoutez le chou, les pommes de terre et les pâtes et laissez cuire 3 à 5 minutes. Égouttez et réservez 1 tasse d'eau de cuisson.

2 Faites chauffer l'huile dans une casserole et faites cuire la sauge et l'ail 1 minute à feu doux. Ajoutez le mélange de fromages. Remuez rapidement, puis incorporez les pâtes, le chou et les pommes de terre. Salez et poivrez.

3 Retirez la casserole du feu et mélangez délicatement. Ajoutez un peu d'eau de cuisson si la préparation est trop sèche, parsemez de parmesan et servez aussitôt.

PRATIQUE Les pâtes de sarrasin (*pizzocheri* en italien) sont une spécialité de la région de Valtellina, près de la frontière suisse. On les sert traditionnellement avec des pommes de terre, du chou et du fromage.

Raviolis aux crevettes, sauce citronnée

Pour 4 personnes

50 g de beurre
4 gousses d'ail, pilées
750 g de crevettes crues, décortiquées, avec la queue
1 1/2 c. s. de farine
375 ml de court-bouillon de poisson
500 ml de crème fraîche
5 de feuilles de kaffir
(citron vert thaïlandais), ciselées
650 g de raviolis à la ricotta
3 c. c. de nuoc-mâm
sel et poivre noir concassé

1 Faites fondre le beurre dans une sauteuse et faites revenir l'ail 1 minute à feu moyen. Ajoutez les crevettes et laissez cuire 3 à 4 minutes. Réservez-les au chaud. Versez la farine en pluie dans la casserole et faites-la blondir 1 minute, en grattant le fond de la casserole avec une cuillère en bois. Versez progressivement le bouillon, puis ajoutez la crème et les feuilles de kaffir. Baissez le feu et laissez épaissir 10 minutes.

2 Pendant ce temps, faites cuire les pâtes dans un grand volume d'eau bouillante salée. Égouttez-les.

3 Incorporez le nuoc-mâm à la sauce, ajoutez les crevettes et réchauffez le mélange à feu doux. Salez et poivrez. Répartissez les pâtes sur les assiettes de service chaudes, garnissez de crevettes et nappez de sauce. Servez aussitôt.

Pâtes au potiron et à la feta

Pour 4 personnes

1 kg de potiron, épluché
et coupé en cubes de 2 cm
1 oignon rouge, émincé
8 gousses d'ail, dans leur peau
1 c. s. de feuilles de romarin
80 ml d'huile d'olive
sel et poivre du moulin
400 g de macaronis
200 g de feta marinée dans l'huile
d'olive, émiettée
2 c. s. de parmesan, râpé
2 c. s. de persil, finement haché

1 Préchauffez le four à 200 °C (Th. 6). Disposez le potiron, l'oignon, l'ail et le romarin dans un plat, puis versez 1 cuillerée à soupe d'huile d'olive. Salez et poivrez. Mélangez bien. Faites cuire 30 minutes au four, jusqu'à ce que le potiron commence à caraméliser.

2 Faites cuire les pâtes dans un grand volume d'eau bouillante salée.

3 Extrayez la pulpe des gousses d'ail et battez-la à la fourchette avec le reste d'huile. Égouttez les pâtes et mettez-les dans un grand saladier. Nappez-les de purée d'ail, ajoutez le potiron rôti, la feta et mélangez délicatement. Salez et poivrez. Parsemez de parmesan et de persil avant de servir.

Tortellini au jambon, sauce aux noix

Pour 4 à 6 personnes

**500 g de tortellini au jambon
et au fromage
60 g de beurre
100 g de noix, concassées
100 g de pignons de pin
2 c. s. de persil plat, finement haché
2 c. c. de thym, haché
sel et poivre du moulin
60 g de ricotta
60 ml de crème fraîche épaisse**

1 Faites cuire les pâtes dans un grand volume d'eau bouillante salée. Égouttez-les et remettez-les dans la casserole pour les garder au chaud.

2 Pendant ce temps, faites fondre le beurre dans une poêle à feu moyen, jusqu'à ce qu'il mousse. Ajoutez les noix et les pignons de pin et faites-les dorer 5 minutes. Ajoutez le persil et le thym. Salez et poivrez.

3 Battez la ricotta et la crème. Versez la sauce aux noix sur les pâtes et mélangez. Répartissez les pâtes dans des assiettes creuses chaudes et nappez-les de crème à la ricotta. Servez aussitôt.

Tagliatelles aux crevettes, sauce au safran

Pour 4 à 6 personnes

40 g de beurre
1 petit poireau, en julienne
4 gousses d'ail, finement hachées
125 ml de vermouth sec
250 ml de bouilon de légumes
1 pincée de stigmates de safran
300 ml de crème fraîche épaisse
400 g de tagliatelles fraîches
24 crevettes crues, décortiquées, avec la queue
1 c. s. de jus de citron
1 c. s. de cerfeuil, finement haché

1 Faites fondre le beurre dans une casserole à feu moyen, ajoutez le poireau et l'ail et laissez cuire 5 minutes. Versez le vermouth et le bouillon, incorporez le safran et portez à ébullition. Baissez le feu et laissez mijoter 10 minutes à feu doux. Quand le liquide a réduit de moitié, incorporez la crème. Laissez cuire encore 15 minutes, jusqu'à épaississement.

2 Pendant ce temps, faites cuire les pâtes dans un grand volume d'eau bouillante salée.

3 Ajoutez les crevettes dans la sauce et laissez frémir 2 à 3 minutes. Retirez la casserole du feu et incorporez le jus de citron et le cerfeuil. Salez et poivrez généreusement, puis ajoutez les pâtes chaudes. Décorez de feuilles de cerfeuil et servez aussitôt.

ASTUCE Vous pouvez remplacer le cerfeuil par du persil ou de l'aneth.

Orechiette au chou-fleur, au bacon et au pecorino

Pour 4 personnes

750 g de chou-fleur,
détaillé en fleurettes
500 g d'orechiette (voir p. 296)
125 ml d'huile d'olive
150 g de bacon, coupé en dés
2 gousses d'ail, finement hachées
80 g de pignons de pin, grillés
45 g de pecorino, râpé
15 g de persil plat, haché
60 g de chapelure
sel et poivre du moulin

1 Faites cuire le chou-fleur 5 à 6 minutes dans un grand volume d'eau bouillante salée. Égouttez-le.

2 Faites cuire les pâtes dans un grand volume d'eau bouillante salée. Égouttez-les et remettez-les dans la casserole pour les garder au chaud.

3 Préchauffez l'huile dans une poêle et faites dorer le bacon 4 à 5 minutes à feu moyen. Quand il est croustillant, ajoutez l'ail et faites-le revenir 1 minute. Ajoutez enfin le chou-fleur et mélangez bien.

4 Mettez les pâtes dans un saladier, ajoutez la préparation au chou-fleur, les pignons de pin, le pecorino, le persil et 40 g de chapelure. Salez et poivrez. Mélangez bien, puis saupoudrez du reste de chapelure.

Bucatini au piment

Pour 4 personnes

2 c. s. d'huile d'olive
200 g de pancetta, émincée
1 oignon rouge, finement haché
2 gousses d'ail, finement hachées
1 c. c. de flocons de piment
2 c. c. de romarin, finement haché
800 g de tomates concassées
en conserve
sel et poivre du moulin
500 g de bucatini ou de spaghettis
15 g de persil plat, haché

1 Faites chauffer l'huile dans une poêle et faites revenir la pancetta 6 à 8 minutes à feu moyen. Ajoutez l'oignon, l'ail, le piment et le romarin et poursuivez la cuisson 4 à 5 minutes.

2 Ajoutez les tomates, salez et poivrez, puis portez à ébullition. Baissez le feu et laissez mijoter 20 minutes à feu doux, jusqu'à épaississement.

3 Pendant ce temps, faites cuire les pâtes dans un grand volume d'eau bouillante salée. Égouttez-les.

4 Mettez les pâtes dans un plat de service, nappez-les de sauce, parsemez-les de persil et servez aussitôt.

Tortellini à la citrouille et au basilic

Pour 4 personnes

1 kg de citrouille,
coupée en cubes de 2 cm
sel et poivre noir concassé
600 g de tortellini au veau
100 g de beurre
3 gousses d'ail, pilées
80 g de pignons de pin
45 g de basilic, ciselé
200 g de feta, émiettée

1 Préchauffez le four à 220 °C (Th. 7). Garnissez de papier sulfurisé une plaque de cuisson. Disposez dessus la citrouille, salez et poivrez. Faites rôtir 30 minutes au four, jusqu'à ce que la citrouille soit tendre.

2 Pendant ce temps, faites cuire les pâtes dans un grand volume d'eau bouillante salée. Égouttez-les et remettez-les dans la casserole pour les garder au chaud.

3 Faites chauffer le beurre dans une petite poêle à feu moyen, jusqu'à ce qu'il mousse. Ajoutez l'ail et les pignons de pin et faites-les dorer 3 à 5 minutes. Versez le tout sur les pâtes chaudes, ajoutez le basilic et les morceaux de citrouille. Mélangez délicatement. Répartissez les pâtes sur les assiettes de service chaudes, parsemez de feta et servez aussitôt.

Pâtes au poulet et aux pignons de pin

Pour 4 à 6 personnes

1 poulet de 1,3 kg
1 tête d'ail, détaillée en gousses, dans leur peau
60 ml d'huile d'olive
30 g de beurre, ramolli
1 c. s. de thym, finement haché
125 ml de jus de citron
sel et poivre du moulin
500 g de spaghettis
2 c. s. de raisins de Corinthe
1 c. c. de zeste de citron, finement râpé
50 g de pignons de pin, grillés
15 g de persil plat, finement haché
sel et poivre du moulin

1 Préchauffez le four à 200 °C (Th. 6). Farcissez le poulet avec les gousses d'ail, puis mettez-le dans le plat.

2 Mélangez l'huile, le beurre, le thym et le jus de citron, puis enduisez le poulet de cette pommade. Salez et poivrez. Faites rôtir le poulet 1 heure environ. Mettez-le poulet à la verticale dans un grand récipient pour permettre au jus de s'écouler et laissez-le refroidir. Retirez les gousses d'ail, laissez-les refroidir, puis extrayez la pulpe en écrasant les gousses à la fourchette.

3 Faites cuire les pâtes dans un grand volume d'eau bouillante salée. Pendant ce temps, versez le jus de cuisson du poulet dans une casserole, ajoutez les raisins de Corinthe, le zeste de citron et l'ail écrasé, puis faites mijoter à feu doux. Découpez le poulet et détaillez la chair en morceaux.

4 Égouttez les pâtes et mettez-les dans un grand récipient avec les morceaux de poulet, les pignons de pin, le persil et la sauce à l'ail. Salez et poivrez généreusement. Servez aussitôt.

Pâtes forestières

Pour 4 à 6 personnes

30 g de beurre
4 tranches de bacon, coupées en dés
2 gousses d'ail, finement hachées
300 g de mousserons bruns
ou de champignons de Paris, émincés
60 ml de vin blanc sec
375 ml de crème fraîche
1 c. c. de thym, haché
500 g de tortellini au veau
50 g de parmesan, râpé
1 c. s. de persil plat, haché

1 Faites fondre le beurre dans une grande poêle, puis faites dorer le bacon 5 minutes à feu moyen. Quand il est croustillant, ajoutez l'ail et faites-le cuire 2 minutes, puis incorporez les champignons et poursuivez la cuisson 8 minutes.

2 Versez le vin, ajoutez la crème et le thym, mélangez bien et portez à ébullition. Baissez le feu et laissez mijoter à feu doux, jusqu'à épaississement. Pendant ce temps, faites cuire les pâtes dans un grand volume d'eau bouillante salée.

3 Égouttez les pâtes et mettez-les dans un plat de service, nappez-les de sauce et parsemez-les de parmesan et de persil. Salez et poivrez généreusement. Servez aussitôt.

Spaghettis à l'encre de seiche

Pour 4 à 6 personnes

1 kg de petites seiches
2 c. s. d'huile d'olive
1 oignon, finement haché
6 gousses d'ail, finement hachées
1 feuille de laurier
1 petit piment rouge, épépiné
et émincé
80 ml de vin blanc
80 ml de vermouth sec
250 ml de fumet de poisson
60 g de concentré de tomates
500 ml de coulis de tomates
15 ml d'encre de seiche
500 g de spaghettis
1/2 c. c. de Pernod
4 c. s. de persil plat, haché
1 gousse d'ail supplémentaire, pilée
sel et poivre du moulin

1 Nettoyez les seiches : séparez les tentacules du corps, coupez le bec et le tube digestif et jetez-les, réservez l'encre. Retirez l'os central et coupez le corps en fins anneaux.

2 Faites chauffer l'huile dans une casserole à feu moyen et faites dorer l'oignon. Ajoutez l'ail, la feuille de laurier et le piment et laissez cuire jusqu'à ce que l'ail commence à dorer. Versez le vin, le vermouth, le fumet de poisson, le concentré de tomates, le coulis et 250 ml d'eau, puis portez à ébullition. Baissez le feu et laissez frémir 45 minutes, jusqu'à ce que le liquide ait réduit de moitié. Ajoutez l'encre de seiche et poursuivez la cuisson 2 minutes. Pendant ce temps, faites cuire les pâtes dans un grand volume d'eau bouillante salée.

3 Ajoutez les anneaux de seiche et le Pernod dans la sauce, remuez, puis laissez mijoter 4 à 5 minutes. Incorporez le persil et le supplément d'ail. Salez et poivrez. Égouttez les pâtes et nappez-les de sauce. Servez aussitôt.

Gnocchis au gorgonzola

Pour 4 à 6 personnes

375 ml de crème fraîche
200 g de gorgonzola jeune, émietté
2 c. s. de parmesan, râpé
40 g de beurre
1 pincée de noix de muscade, râpée
500 g de gnocchis de pommes de terre
cerneaux de noix, grillés

1 Faites chauffer dans une casserole la crème, le gorgonzola, le parmesan et le beurre à feu doux pendant 3 minutes, jusqu'à obtention d'une sauce lisse. Incorporez la noix de muscade et mélangez bien.

2 Faites cuire les gnocchis dans un grand volume d'eau bouillante salée. Dès qu'ils remontent à la surface, retirez-les avec une écumoire et mettez-les dans un plat de service chaud. Nappez-les aussitôt de sauce, décorez de cerneaux de noix et servez aussitôt.

ASTUCE Faites bouillir l'eau des gnocchis avant de préparer la sauce et confectionnez cette dernière pendant que les gnocchis cuisent. Cette recette se prépare à la dernière minute et demande une bonne synchronisation, car la sauce doit être versée aussitôt sur les gnocchis bien chauds (en refroidissant, ces derniers deviennent collants et perdent toute leur saveur).

Tagliatelles aux noix

Pour 4 personnes

200 g de noix, décortiquées
20 g de persil, grossièrement haché
50 g de beurre
200 ml d'huile d'olive
1 gousse d'ail, pilée
30 g de parmesan, râpé
100 ml de crème fraîche épaisse
sel et poivre noir du moulin
400 g de tagliatelles

1 Faites griller les noix à sec dans une poêle 2 minutes. Réservez et laissez refroidir 5 minutes.

2 Mixez les noix et le persil, puis ajoutez le beurre sans cesser de mixer. Versez progressivement l'huile, puis ajoutez l'ail, le parmesan et la crème en continuant de faire tourner le moteur, jusqu'à obtention d'une préparation homogène. Salez et poivrez.

3 Faites cuire les pâtes dans un grand volume d'eau bouillante salée. Égouttez-les, puis mélangez-les avec la sauce. Servez aussitôt.

Tagliatelles à la bolognaise

Pour 4 à 6 personnes

2 c. s. d'huile d'olive
2 gousses d'ail, finement hachées
1 gros oignon, finement haché
1 carotte, finement hachée
1 branche de céleri, finement hachée
50 g de pancetta ou de bacon, finement haché
500 g de bœuf haché
500 ml de bouillon de bœuf
375 ml de vin rouge
800 g de tomates concassées en conserve
2 c. s. de concentré de tomates
1 c. c. de sucre
sel et poivre du moulin
500 g de tagliatelles fraîches
copeaux de parmesan

1 Faites chauffer l'huile dans une sauteuse et faites revenir l'ail, l'oignon, la carotte, le céleri et la pancetta 5 minutes à feu moyen.

2 Ajoutez le bœuf haché, émiettez-le avec le dos d'une cuillère et faites-le dorer quelques minutes. Incorporez le bouillon, le vin rouge, les tomates, le concentré de tomates et le sucre. Portez à ébullition, puis baissez le feu et laissez mijoter 1 h 30 à couvert. Retirez le couvercle et laissez frémir encore 1 h 30, en remuant de temps à autre. Salez et poivrez.

3 Faites cuire les pâtes dans un grand volume d'eau bouillante salée. Égouttez-les et mettez-les dans un plat de service. Nappez-les de sauce bolognaise, parsemez de copeaux de parmesan et servez aussitôt.

Spaghetti alla puttanesca

Pour 4 personnes

6 grosses tomates bien mûres
375 g de spaghettis
80 ml d'huile d'olive
2 oignons, finement hachés
3 gousses d'ail, finement hachées
1/2 c. c. de flocons de piment
4 c. s. de câpres, rincées et égouttées
7 à 8 anchois conservés dans l'huile,
égouttés et hachés
150 g d'olives noires
3 c. s. de persil plat, haché
sel et poivre du moulin

1 Pratiquez une incision à la base de chaque tomate. Plongez-les dans un saladier d'eau bouillante pendant 30 secondes, puis dans l'eau froide, et pelez-les en partant de l'incision. Coupez la chair en dés. Faites cuire les pâtes dans un grand volume d'eau bouillante salée.

2 Faites chauffer l'huile dans une casserole et faites fondre l'oignon 5 minutes à feu moyen. Ajoutez l'ail et le piment et laissez cuire 30 secondes, puis incorporez les câpres, les anchois et la tomate. Laissez mijoter 5 à 10 minutes à feu doux, jusqu'à épaississement. Ajoutez enfin les olives et le persil.

3 Égouttez les pâtes et mettez-les dans un plat de service. Versez la sauce dessus et mélangez. Salez et poivrez. Servez aussitôt.

Pâtes au poulet et aux artichauts

Pour 6 personnes

1 c. s. d'huile d'olive
3 blancs de poulet
500 g de pâtes ruban larges
8 tranches de jambon cru
280 g d'artichauts conservés
dans l'huile, égouttés et coupés
en quatre (réservez l'huile)
150 g de tomates séchées conservées
dans l'huile, émincées
90 g de feuilles de roquette
2 à 3 c. s. de vinaigre balsamique
sel et poivre du moulin

1 Badigeonnez d'huile un gril en fonte et faites-le chauffer à feu vif. Faites dorer les blancs de poulet 6 à 8 minutes de chaque côté.

2 Pendant ce temps, faites cuire les pâtes dans un grand volume d'eau bouillante salée. Égouttez-les et remettez-les dans la casserole pour qu'elles restent chaudes. Faites dorer à sec le jambon dans une poêle antiadhésive. Laissez-le refroidir et émincez-le.

3 Émincez les blancs de poulet. Mélangez aussitôt les pâtes avec le poulet, le jambon, les artichauts, la tomate et la roquette. Battez 60 ml de l'huile des artichauts et le vinaigre balsamique, puis versez cette sauce sur les pâtes. Salez et poivrez. Servez aussitôt.

Pâtes aux tomates et au bacon

Pour 4 personnes

**400 g de pâtes courtes
(crêtes de coq, cotelli ou fusilli)**
I c. s. d'huile d'olive
175 g de bacon, émincé
500 g de tomates olivettes
125 ml de crème fraîche épaisse
2 c. s. de pâte de tomates séchées
2 c. s. de persil plat, finement haché
50 g de parmesan, finement râpé

I Faites cuire les pâtes dans un grand volume d'eau bouillante salée. Égouttez-les et remettez-les dans la casserole pour les garder au chaud.

2 Pendant ce temps, préchauffez l'huile dans une poêle et faites revenir le bacon 2 minutes à feu vif. Baissez le feu, ajoutez les tomates et laissez cuire 2 minutes à feu moyen, en remuant régulièrement mais sans les écraser.

3 Incorporez la crème et la pâte de tomates séchées et faites-les chauffer rapidement. Retirez la poêle du feu et ajoutez le persil. Versez la sauce sur les pâtes et parsemez de parmesan râpé.

Capellini aux noix de Saint-Jacques

Pour 4 personnes

100 g de beurre
3 gousses d'ail, finement hachées
24 noix de Saint-Jacques, sans le corail
sel et poivre du moulin
350 g de capellini (cheveux d'ange)
150 g de feuilles de roquette
2 c. c. de zeste de citron, finement râpé
60 ml de jus de citron
125 g de tomates séchées conservées
dans l'huile, émincées
sel et poivre du moulin

1 Faites fondre le beurre dans une casserole et faites cuire l'ail à feu doux 1 minute. Retirez la casserole du feu.

2 Faites chauffer un gril en fonte légèrement huilé. Badigeonnez les noix de Saint-Jacques de beurre à l'ail, salez et poivrez.

3 Faites cuire les pâtes dans l'eau bouillante et démarrez en même temps la cuisson des noix de Saint-Jacques en les saisissant 1 minute de chaque côté sur le gril chaud.

4 Égouttez les pâtes, mettez-les dans un récipient, puis ajoutez la roquette, le zeste de citron, le jus de citron, les tomates séchées et le restant de beurre à l'ail. Salez et poivrez. Répartissez les pâtes dans les bols de service et garnissez de noix de Saint-Jacques.

Risoni aux champignons et à la pancetta

Pour 4 personnes

25 g de beurre
2 gousses d'ail, finement hachées
150 g de pancetta, coupée en dés
400 g de champignons de Paris,
émincés
500 g de risoni
(pâtes en forme de grains de riz)
1 l de bouillon de volaille
125 ml de crème fraîche
50 g de parmesan, finement râpé
4 c. s. de persil plat, finement haché
sel et poivre noir concassé

1 Faites fondre le beurre dans une casserole et faites cuire l'ail 30 secondes à feu moyen. Augmentez le feu et faites revenir la pancetta 3 à 5 minutes. Quand elle est croustillante, ajoutez les champignons et poursuivez la cuisson 5 minutes.

2 Ajoutez les risoni en mélangeant bien, puis versez le bouillon et portez à ébullition. Baissez le feu et laissez mijoter 15 à 20 minutes à couvert. Quand tout le bouillon est absorbé, les risoni doivent être tendres ; au besoin, ajoutez un peu d'eau bouillante si leur cuisson n'est pas achevée.

3 Incorporez la crème et laissez cuire 3 minutes à découvert, en remuant de temps à autre. Ajoutez 35 g de parmesan et tout le persil, salez et poivrez, puis mélangez. Répartissez dans les bols de service et parsemez du reste de parmesan.

Conchiglie à la saucisse et à la tomate

Pour 4 à 6 personnes

500 g de conchiglie
2 c. s. d'huile d'olive
400 g de saucisses italiennes
1 oignon rouge, finement haché
2 gousses d'ail, finement hachées
800 g de tomates concassées
en conserve
1 c. c. de sucre semoule
poivre noir concassé
25 g de basilic, grossièrement ciselé
45 g de pecorino, râpé

1 Faites cuire les pâtes dans un grand volume d'eau bouillante salée. Égouttez-les et remettez-les dans la casserole pour les garder au chaud.

2 Faites chauffer 2 cuillerées à soupe d'huile dans une poêle et faites dorer les saucisses 5 minutes, en les retournant plusieurs fois. Égouttez-les sur du papier absorbant, puis coupez-les en rondelles. Réservez au chaud.

3 Essuyez la poêle et faites chauffer le reste d'huile. Faites revenir l'oignon et l'ail 2 minutes à feu moyen, puis incorporez les tomates, le sucre et 250 ml d'eau. Poivrez généreusement. Baissez le feu et laissez mijoter 12 minutes, jusqu'à épaississement.

4 Versez la sauce sur les pâtes et ajoutez la saucisse, puis le basilic et la moitié du pecorino. Répartissez sur les assiettes de service, parsemez du reste de pecorino et servez aussitôt.

Orechiette à la tomate et à la ricotta

Pour 4 personnes

400 g d'orechiette (voir p. 296)
450 g de tomates olivettes
310 g de ricotta
40 g de parmesan, râpé
sel et poivre noir du moulin
8 feuilles de basilic,
grossièrement ciselées

1 Faites cuire les pâtes dans un grand volume d'eau bouillante salée.

2 Pratiquez une incision en croix à la base de chaque tomate, plongez-les dans l'eau bouillante 20 secondes, puis égouttez-les et pelez-les en partant de l'incision. Évidez les tomates et hachez la chair.

3 Écrasez la ricotta dans un bol, puis ajoutez le parmesan. Salez et poivrez.

4 Égouttez les pâtes et remettez-les dans la casserole. Incorporez le mélange de fromages, les tomates et le basilic. Rectifiez l'assaisonnement, puis mélangez. Servez aussitôt.

Tagliatelles au saumon

Pour 4 personnes

350 g de tagliatelles fraîches
60 ml d'huile d'olive
3 filets de saumon de 200 g,
sans peau et sans arête
3 gousses d'ail, pilées
375 ml de crème fraîche
1 1/2 c. s. d'aneth, haché
1 c. c. de graines de moutarde, moulues
sel et poivre du moulin
1 c. s. de jus de citron
35 g de copeaux de parmesan

1 Faites cuire les pâtes dans un grand volume d'eau bouillante salée. Égouttez-les, puis mettez-les dans un récipient avec 1 cuillerée à soupe d'huile d'olive. Mélangez bien. Réservez au chaud.

2 Pendant ce temps, faites chauffer le reste d'huile dans une sauteuse et faites cuire les filets de saumon 2 minutes de chaque côté (ils doivent être encore rose à cœur). Retirez-les de la sauteuse, coupez-les en cubes de 2 cm et réservez au chaud.

3 Faites cuire l'ail 30 secondes dans la sauteuse jusqu'à ce qu'il embaume. Ajoutez la crème, l'aneth et la moutarde en poudre. Portez à ébullition, puis baissez le feu et laissez frémir 4 à 5 minutes en remuant sans cesse, jusqu'à épaississement. Salez et poivrez.

4 Ajoutez dans la sauteuse le saumon et le jus de citron, puis réchauffez la préparation. Versez la sauce sur les pâtes, mélangez délicatement, puis répartissez le tout dans les assiettes de service. Parsemez de parmesan et servez aussitôt.

Pâtes express

Pour 4 personnes

2 c. s. d'huile d'olive
4 gousses d'ail, finement hachées
1 petit piment rouge, finement haché
1,2 kg de tomates concassées
en conserve
1 c. c. de sucre
80 ml de vin blanc sec
3 c. s. d'herbes hachées, basilic ou persil
par exemple
sel et poivre du moulin
400 g de vermicelli
35 g de copeaux de parmesan

1 Faites chauffer l'huile dans une sauteuse et faites cuire l'ail et le piment 1 minute. Ajoutez les tomates, le sucre, le vin, les herbes et 440 ml d'eau. Portez à ébullition. Salez et poivrez.

2 Baissez le feu et ajoutez les pâtes (cassez-les si elles sont trop longues). Faites-les cuire 10 minutes à feu moyen, en remuant régulièrement pour éviter qu'elles ne collent. Rectifiez l'assaisonnement, répartissez dans des bols de service et garnissez de copeaux de parmesan.

PRATIQUE Les vermicelli sont une forme très fine de spaghettis. Vous pouvez aussi réaliser cette recette avec des spaghettini ou des capellini (cheveux d'ange).

Pâtes
au saumon fumé
et au champagne

Pour 4 personnes

375 g de stracci frais
1 c. s. d'huile d'olive
2 grosses gousses d'ail, pilées
125 ml de champagne
250 ml de crème fraîche épaisse
200 g de saumon fumé,
coupé en fines lamelles
2 c. s. de câpres, rincées et égouttées
2 c. s. de ciboulette, hachée
2 c. s. d'aneth, haché
sel et poivre noir concassé

1 Faites cuire les pâtes dans un grand volume d'eau bouillante salée. Égouttez-les et remettez-les dans la casserole.

2 Pendant que les pâtes cuisent, faites chauffer l'huile dans une poêle et faites revenir l'ail 30 secondes à feu moyen. Versez le champagne et poursuivez la cuisson 2 à 3 minutes pour le faire réduire légèrement. Ajoutez la crème et laissez mijoter 3 à 4 minutes, jusqu'à épaississement.

3 Versez la sauce sur les pâtes chaudes, ajoutez le saumon, les câpres et les herbes, puis mélangez délicatement. Salez et poivrez. Servez aussitôt.

PRATIQUE Les *stracci* sont vendus frais ou secs ; les deux conviennent à cette recette. Vous pouvez les remplacer par des fettucine ou des tagliatelles, fraîches ou sèches. Les feuilles de lasagnes sèches font aussi l'affaire. Vous les casserez en fragments d'environ 8 × 13 cm.

Table des recettes

Les soupes

Les plats épicés

Nouilles et riz

Les plats classiques

Les pâtes

Traduction : Catherine Bricout

Adaptation : Élisabeth Boyer

Mise en page : Penez Éditions

Relecture : Armelle Héron et Élodie Libessart

Marabout
43, quai de Grenelle - 75905 Paris Cedex 15

Publié pour la première fois en Australie en 2003
sous le titre *Hot Food*

Dépôt légal n° 38875 / octobre 2003
ISBN : 250 104 0988
NUART : 40.0538.5/01

Imprimé en Espagne par Graficas Estella